Campione in Gonnella

Per Eddie,
per la gioia che hai donato a tutti noi.

Edizione originale : HarperCollins Children's Books
Titolo originale: *The Boy in the Dress*
Testi © David Walliams 2008
Illustrazioni © Quentin Blake 2008

Traduzione su licenza di HarperCollins Publishers Ltd

L'autore/illustratore detiene il diritto morale di essere identificato
come autore/illustratore dell'opera

With the support of the Culture programme of the European Union.
This project has been funded with support from the European Commission.
This publication reflects the views only of the author,
and the Commission cannot be held responsible for any use
which may be made of the information contained therein.

Traduzione: Angela Ragusa
Progetto grafico: Simonetta Zuddas
Realizzazione editoriale: Graphic Center - Torino

www.giunti.it

© 2011 Giunti Editore S.p.A.
Via Bolognese 165 - 50139 Firenze - Italia
Via Dante 4 - 20121 Milano - Italia
Prima edizione: ottobre 2011

Ristampa	Anno
6 5 4 3 2 1 0	2013 2012 2011 2010 2011

Stampato presso Giunti Industrie Grafiche S.p.A. – Stabilimento di Prato

David Walliams

Campione in Gonnella

illustrazioni di
Quentin Blake

G GIUNTI Junior

Niente abbracci

Dennis era diverso.

Quando si guardava allo specchio vedeva un norma-
lissimo ragazzo di dodici anni. Ma lui si *sentiva* diverso:
aveva la testa piena di colori e di poesia, eppure la sua
vita era molto noiosa.

La storia che sto per raccontarvi inizia qui, nella
normalissima casa di Dennis, in una strada normalissima di una normalissima città. Una casa uguale a tutte
le altre. O meglio: una casa aveva i doppi vetri, un'altra
no; una aveva il vialetto di ghiaia, un'altra no; davanti
a una era parcheggiata una Vauxhall Cavalier, davanti
a un'altra una Vauxhall Astra. Piccole differenze che
servivano solo a fare risaltare ancora di più l'uniformità.

Era tutto così normale che prima o poi *doveva* succedere qualcosa di straordinario.

Dennis viveva con il papà – che, a dire la verità,

un nome ce l'aveva, ma poiché Dennis lo chiamava semplicemente "papà", lo chiamerò così anch'io – e il fratello maggiore John, di quattordici anni. Per Dennis era insopportabile pensare che il fratello avrebbe sempre avuto due anni più di lui e sarebbe sempre stato più grande e più forte.

La loro mamma se n'era andata un paio d'anni prima. Quando lei viveva ancora con loro, spesso Dennis sgusciava fuori dalla sua stanza e si sedeva in cima alle scale ascoltando la mamma e il papà urlarsi contro. Finché, un giorno, le urla cessarono.

La mamma se n'era andata.

Da quel giorno, il papà proibì a John e Dennis anche solo di nominarla. Poco tempo dopo fece il giro della casa per togliere di mezzo tutte le sue foto e le bruciò.

Però Dennis riuscì a salvarne una.

Una foto solitaria sfuggì al falò e s'innalzò danzando al calore delle fiamme prima di svolazzare oltre il fumo e atterrare sulla siepe.

Al calare del crepuscolo, Dennis sgattaiolò in cortile e la recuperò. Per un momento si sentì mancare il cuore vedendo che era annerita e bruciacchiata ai bordi, ma guardando meglio scoprì che l'immagine era rimasta intatta.

Mostrava una scena gioiosa: John e Dennis da piccoli, in spiaggia, con la mamma che indossava un bel
vestito giallo a fiori. A Dennis piaceva un sacco quel
vestito: era pieno di colori e di vita, e soffice al tocco.
Quando la mamma lo indossava, significava che era
arrivata l'estate.

Dopo che lei se n'era andata, nella loro casa non era
più tornata l'estate anche se fuori faceva caldo.

Nella foto, Dennis e il fratello erano in calzoncini da
bagno, avevano un gelato in mano e crema alla vani-
glia attorno alle labbra sorridenti. Dennis la teneva in
tasca e la guardava ogni giorno di nascosto: la mamma

aveva un sorriso incerto ed era così bella da fare male al cuore. A volte restava a fissarla ore intere, sforzandosi d'immaginare a che cosa stesse pensando quando le avevano scattato quella foto.

Da quando la mamma se n'era andata, il loro papà non diceva granché e, se lo faceva, di solito urlava. Perciò Dennis si ritrovò a guardare spesso la televisione, soprattutto il suo programma preferito: *Trisha*. Vide una puntata su delle persone depresse, e Dennis sospettò che fosse proprio quello il caso del suo papà.

A Dennis *Trisha* piaceva tantissimo. Era un talk-show quotidiano in cui persone normali parlavano dei propri problemi o insultavano parenti vari, sotto la supervisione di una donna dall'aria gentile, ma dal giudizio facile, che si chiamava per l'appunto... Trisha.

Per un po' Dennis aveva pensato che la vita senza la mamma sarebbe stata una specie di avventura: sarebbe rimasto in piedi fino a tardi, mangiando pizze a domicilio e guardando spettacoli tivù pieni di parolacce. Però, man mano che i giorni diventavano settimane, e le settimane mesi, e i mesi anni, si rese conto che quella non era affatto un'avventura.

Era solo una gran tristezza.

Dennis e John si volevano bene... più o meno, come

devono volersi bene due fratelli. Spesso, però, John metteva quell'affetto a dura prova comportandosi in modo secondo lui divertente: tipo sedersi sulla faccia di Dennis e spargli una scoreggia.

Se sparare scoregge fosse stato uno sport olimpico (a quanto mi risulta, e secondo me è un vero peccato, al momento non lo è), avrebbe vinto un sacco di medaglie d'oro e probabilmente sarebbe stato nominato Sir dalla Regina.

Ora, lettori, magari potreste pensare che l'assenza della mamma sarebbe servita ad avvicinare i due fratelli.

Macché. Servì solo ad allontanarli.

A differenza di Dennis, John ribolliva di collera silenziosa nei confronti della madre che l'aveva abbandonato e, come il padre, non voleva neanche più nominarla. Era una delle regole della casa:

- Non parlare della mamma;
- Niente lacrime;
- E, cosa peggiore di tutte, niente abbracci.

Dennis, invece, era triste e basta. A volte sentiva così tanto la mancanza della madre che di notte, a letto, piangeva. Tentava di piangere più in silenzio possibile, perché divideva la stanza con il fratello e non voleva farsi sentire da lui.

Finché, una notte, i suoi singhiozzi lo svegliarono.

«Dennis? Dennis? Perché piangi?» domandò John senza alzarsi.

«Non lo so. È solo che... ecco... vorrei tanto che mamma fosse qui e...»

«Smettila di frignare. Se n'è andata e non tornerà».

«Non puoi esserne sicuro...»

«Non tornerà più, Dennis. Smettila di piangere. Solo le femmine piangono».

Però Dennis *non riusciva* a smettere di piangere. Il dolore gli montava dentro come una marea, lo sommergeva, soffocandolo di lacrime. Ma dato che non voleva irritare il fratello, piangeva più in silenzio che poteva.

"Come mai Dennis era così diverso?" già vi sento chiedere. In fin dei conti viveva in una casa normalissima, in una strada normalissima di una normalissima città.

Per il momento non ve lo dirò, ma il titolo di questo libro potrebbe fornirvi un indizio...

Papà Grasso

Il papà saltò in piedi urlando di gioia e abbracciò forte Dennis.

«Due-a-zero!» esultò. «Gliel'abbiamo fatta vedere, eh, figliolo?»

Sì, lo so: poco fa ho detto che in casa di Dennis gli abbracci erano proibiti, ma questo era un altro paio di maniche. Qui stiamo parlando di calcio.

A casa di Dennis, parlare di calcio era più facile che parlare dei propri sentimenti. Tutti e tre – Dennis, John e il loro papà – erano grandi tifosi e condividevano gli alti e (più spesso) i bassi della squadra locale, che giocava in serie C.

Il fischio dell'arbitro che annunciava la fine della partita segnava però anche il ritorno alla rigida politica del niente-abbracci.

Dennis sentiva la mancanza degli abbracci.

In passato la mamma non faceva che abbracciarlo. Era tiepida e morbida, e a lui piaceva tantissimo restare stretto fra le sue braccia. La maggior parte dei bambini non vede l'ora di crescere e diventare grande, invece Dennis sarebbe voluto tornare piccolo e in braccio alla madre. Era lì, fra le sue braccia, che più si era sentito al sicuro.

Era un vero peccato che il papà non lo abbracciasse quasi mai. I ciccioni sono veri campioni di abbracci, gentili e morbidi come grandi divani comodi.

Oh, già, non ve l'avevo detto? Il papà di Dennis era grasso.

Molto grasso.

Il fatto è che il papà faceva il camionista e guidava per lunghe, lunghe distanze. E tutto quello starsene seduto al volante – sgranchendosi le gambe solo per andare alla tavola calda della stazione di servizio e in-gozzarsi di uova, salsicce, pancetta, fagioli e patatine – aveva reclamato il suo prezzo.

A volte, dopo colazione, il papà ingurgitava due sacchetti di patatine. Da quando mamma se n'era an-data, era diventato sempre più grasso. Una volta Dennis aveva visto una puntata di *Trisha* con un tale Barry che era così grasso da non riuscire a pulirsi il didietro.

Il pubblico in studio fu debitamente informato della quantità di cibo che Barry ingollava ogni giorno ed emise una serie di "oooh" e "aaah" con una strana mistura di deliziato orrore.

Poi Trisha chiese: «Ma Barry, il fatto che tu debba farti pulire il... didietro... dalla mamma o dal papà... non ti fa venire voglia di dimagrire?».

Al che Barry replicò sogghignando: «Il fatto è, Trisha, che a me piace troppo mangiare».

Alla fine, Trisha decretò che per Barry il cibo era "un conforto" e che mangiava per "tirarsi su". Trisha se ne

uscìva di continuo con frasi del genere. In fin dei conti, anche lei aveva passato momenti brutti. In conclusione, Barry spremette qualche lacrimuccia e, mentre i titoli di coda passavano sullo schermo, Trisha lo abbracciò sorridendo mestamente... anche se non era facile circondarlo con le braccia, considerato che Barry aveva più o meno le dimensioni di un villino.

Dennis si chiese se anche il suo papà mangiasse per tirarsi su, usando salsicce e frittelle allo scopo di "colmare il vuoto interiore", per usare le parole di Trisha. Ma gli mancò il coraggio di sottoporre al padre l'idea. Senza contare che al papà non andava che lui guardasse quel programma. "Roba da femminucce" lo definiva.

Dal canto suo, Dennis sognava di avere una puntata di *Trisha* dedicata interamente a lui e intitolata: "Le scoregge di mio fratello sono pestilenziali"; oppure: "Mio padre ha un problema con i biscotti al cioccolato" (ogni giorno, quando il papà rientrava dal

lavoro, si faceva fuori un pacchetto intero di biscotti al cioccolato).

Dato che il papà era così grasso, quando giocava a calcio con i figli stava sempre in porta. E la cosa gli piaceva, perché non doveva correre avanti e indietro. La porta era indicata da un secchio capovolto e da un barilotto vuoto di birra, avanzi di un remoto barbecue di quando ancora c'era la mamma.

Era da un pezzo, ormai, che non facevano un barbecue. Adesso ingollavano salsicce unticce comprate nella rosticceria all'angolo, o tazze di latte e cereali anche quando non era ora di colazione.

Quel che a Dennis piaceva maggiormente quando giocava a calcio con i suoi era il fatto d'essere più bravo di entrambi. Benché il fratello fosse di due anni più grande, Dennis lo surclassava, dribblando e infilando abilmente il pallone in rete. E non era *facile* segnare quando il papà era in porta. Non perché fosse particolarmente bravo come portiere, ma era così *grosso*...

Un tempo, la domenica mattina Dennis giocava a calcio con la squadra del quartiere e sognava di diventare un calciatore professionista. Ma dopo la separazione dei suoi genitori aveva smesso di andare a giocare. Era sempre stata la mamma a dargli un passaggio: il papà non poteva mai accompagnarlo perché era occupato a guidare il suo camion avanti e indietro per tutto il Paese, nel tentativo di fare quadrare i conti.

Così, il sogno di Dennis si era silenziosamente dissolto.

Continuava però a giocare nella squadra della scuola, ed era il cannoniere numero uno.

Scusa, lettore, fammi controllare...

Ah, sì: *attaccante.*

Dunque: Dennis era l'attaccante numero uno della sua squadra e segnava un milione di gol all'anno.

Scusa di nuovo, lettore, non m'intendo granché di calcio... forse un milione è troppo. Un migliaio? Un centinaio? Un paio? Come che sia, era lui a segnare la maggior parte dei gol.

Dennis era perciò molto amato dai compagni di squadra... ma non dal capitano, Gareth, che se la prendeva con lui per ogni minimo errore. A dire la verità, Dennis sospettava che Gareth fosse invidioso di lui perché era un calciatore più bravo.

Gareth era insolitamente robusto per la sua età. In effetti, lettore, non ti stupirà apprendere che in realtà Gareth aveva cinque anni più di tutti i suoi compagni di classe, ma continuava a ripetere l'anno perché era un po' zuccone.

Un giorno, invece di andare alla partita, Dennis rimase a casa perché aveva un brutto raffreddore. Aveva appena finito di guardare il suo *Trisha* quotidiano, una puntata elettrizzante su una donna che aveva scoperto di intrattenere una relazione clandestina col proprio stesso marito. Si preparava a gustare una scodella di crema di pomodoro in scatola insieme a una puntata del suo secondo programma preferito, *Loose Women*, dove un gruppo di signore inferocite discuteva di importanti temi del giorno, quali diete e fuseaux.

La sigla della trasmissione era appena partita quando sentì bussare alla porta. Controvoglia, andò ad aprire. Era Darvesh, il suo migliore amico.

«Dennis» lo implorò Darvesh. «Devi assolutamente venire a giocare».

«Mi dispiace, ma non sto bene. Non faccio che starnutire o tossire. Eeeeecciùùù! Visto?» rispose Dennis.

«Ma oggi giochiamo i quarti di finale. Finora ai quarti siamo sempre stati eliminati. Per piacere...»

Dennis starnutì di nuovo.

«Eeeeeeeeeeecccccccccccciiiiiiiiùùùùùùùùù!»

Fu uno starnuto così potente che Dennis ebbe l'impressione di rivoltarsi da capo a piedi.

«Per piaaaacere...» insisté Darvesh, togliendosi di soppiatto un grumo di moccico dalla cravatta della scuola.

«E va bene, ci proverò» tossì Dennis.

«Urrà!» esultò Darvesh, come se avessero già in pugno la vittoria.

Dennis trangugiò qualche cucchiaiata di crema di

pomodoro, agguantò la sacca con le sue cose e corse fuori. La mamma di Darvesh era seduta ad aspettarli nella sua piccola Ford Fiesta, con il motore acceso. Faceva la cassiera al supermercato, ma viveva per vedere il figlio giocare a calcio. Era la mamma più orgogliosa del mondo, il che imbarazzava non poco Darvesh.

«Grazie al cielo sei qui, Dennis!» esclamò mentre il ragazzino occupava il sedile posteriore. «Oggi la squadra ha bisogno di te, è una partita importantissima. La più importante dell'intera stagione!»

«Ti prego, mamma, pensa a guidare!» disse Darvesh.

«Va bene! Va bene! Andiamo! E non parlare con quel tono a tua madre!» gridò lei, fingendo d'essere più irritata di quanto fosse in realtà. Schiacciò l'acceleratore e l'auto avanzò beccheggiando incerta verso il campo della scuola.

«Così hai deciso di venire, eh?» grugnì Gareth quando li vide. Non solo era più grosso di tutti i suoi compagni, ma aveva anche una voce profonda ed era peloso in modo inquietante per un ragazzo della sua età. Quando faceva la doccia, sembrava una grossa scimmia.

«Scusa Gareth, il fatto è che non mi sentivo bene. Ho un brutto...»

Prima di poter dire "raffreddore", Dennis esplose in uno starnuto ancora più violento dei precedenti.

«Eeeeeeeeeeeeeeeeeeeeeeeeeccccccccccccccccci-iiiiiiiiiiiiiiiiiiùùùùùùùùùùùùùùùùùù!!!!!!!»

«Mi dispiace, Gareth» si scusò Dennis, usando il fazzoletto per togliergli un grumo di moccico dall'orecchio.

«Giochiamo e facciamola finita» ringhiò Gareth.

Infiacchito dal raffreddore, Dennis entrò in campo tossendo e sputacchiando.

«Buona fortuna, ragazzi! E una buona fortuna spe-

ciale a mio figlio Darvesh e al suo amico Dennis! Vincete per la scuola!» strillò la mamma di Darvesh dagli spalti.

«Mia mamma è troppo imbarazzante» brontolò Darvesh.

«Secondo me è fantastica» obiettò Dennis. «Il mio papà non viene mai a vedermi giocare».

«Oggi segna alla grande, Darvesh, pulcino mio!»

«Mmmm, forse sì, è *un po'* imbarazzante» ammise Dennis.

Quel pomeriggio giocavano contro la St Kenneth, una di quelle scuole i cui studenti si sentono superiori solo perché i genitori devono sborsare vagonate di quattrini per farceli andare. Comunque la loro squadra era piuttosto in gamba e dopo i primi dieci minuti era già in vantaggio. La tensione era alle stelle. Darvesh soffiò il pallone a un giocatore grosso il doppio di lui e lo passò a Dennis.

«Un passaggio super, Darvesh, pulcino mio!» strillò la sua mamma.

L'eccitazione del gioco fece scordare il raffreddore a Dennis, che zigzagò fra i difensori della squadra avversaria puntando dritto verso il portiere, un tipetto dalla chioma lussureggiante che indossava una divisa nuova di zecca e probabilmente si chiamava Oscar, Tobia o roba così. Poi, quando furono faccia a faccia, a Dennis sfuggì un nuovo, irrefrenabile starnuto.

«Eeeeeeeeeeeeeeeeeeeeeeeccccccccccccccccci- iiiiiiiiiiiiiiiiùùùùùùùùùùùùùùùùù!!!!!!!»

Per un momento il portiere fu accecato dal moccico, e Dennis non dovette fare altro che infilare il pallone in rete.

«Fallo!» protestò il portiere, ma l'arbitro non fece una piega e concesse la rete. Lo stile era stato disgustoso, d'accordo, però tecnicamente non era un fallo.

«Scusa... non volevo...» balbettò Dennis.

«Non preoccuparti, ho fazzoletti a volontà!» gridò la mamma di Darvesh. «Me ne porto sempre dietro un pacchetto». Si slanciò in campo, tirando su il sari per non infangarlo, e corse dal portiere. «Tieni, piccolo snob» disse, e gli tese un fazzoletto.

Mentre il portiere, in lacrime, si toglieva il moccico dai capelli fluenti, l'invasione di campo materna strappò un sospiro a Darvesh.

«Secondo me il St Kenneth non ha la minima possibilità di vincere» aggiunse sua mamma.

«Mammaaaaa!» gemette Darvesh.

«Scusa! Scusa! Continuate a giocare!»

Dopo quattro reti di Dennis, una di Gareth, una di Darvesh e una deviazione "accidentale" da parte della mamma di Darvesh, la partita era vinta.

«Siete in semifinale, ragazzi! Non vedo l'ora di vedervi giocare!» gongolò la mamma di Darvesh mentre riaccompagnava a casa i due ragazzi sulla sua Ford Fiesta strombazzando a tutto spiano, come se l'Inghilterra avesse vinto la Coppa del Mondo.

«Ti prego, mamma, non venire alla partita, ti scongiuro. Non puoi venire se hai intenzione di comportarti di nuovo così!»

«Come ti permetti, Darvesh! Non me la perderei per niente al mondo. Sono così fiera di te!»

Darvesh e Dennis si scambiarono un'occhiata e sorrisero. Per un momento, la loro vittoria li fece sentire padroni dell'universo.

La notizia che la loro squadra era arrivata in semifinale strappò un sorriso perfino al papà di Dennis.

Non avrebbe però continuato a sorridere ancora per molto...

Sotto il materasso

«E questo che roba è?» chiese il papà, così furibondo che gli occhi sembravano schizzargli fuori dalle orbite.

«Una rivista» rispose Dennis.

«Lo vedo da me, che è una rivista».

Dennis si chiese perché il papà glielo avesse chiesto, visto che già sapeva cos'era, ma preferì tenere il pensiero per sé.

«Si chiama *Vogue*, papà».

«Lo vedo da me, che si chiama *Vogue*».

Dennis si zittì. Aveva comprato la rivista in edicola pochi giorni prima perché gli piaceva la foto sulla copertina. Mostrava una ragazza molto bella che indossava un vestito giallo ancora più bello, con delle rose cucite sul davanti, che gli ricordava tantissimo quello che portava sua mamma nell'unica foto sopravvissuta al falò.

Aveva *dovuto assolutamente* comprare la rivista, anche se costava 3.80 sterline e la sua paghetta settimanale ammontava ad appena 5 sterline.

"POSSONO ENTRARE SOLO 17 RAGAZZINI PER VOLTA" diceva il cartello nella vetrina del negozietto di Raj, un omone allegro che rideva anche quando non era successo niente di buffo. Rideva perfino quando ti chiamava per nome appena mettevi piede nel suo negozio... esattamente come fece vedendo entrare Dennis.

«Dennis! Ah ah!»

Raj aveva una risata estremamente contagiosa.

Dennis si fermava da lui quasi tutti i giorni, andando o tornando da scuola, a volte solo per fare quattro chiacchiere, ma dopo aver preso *Vogue* si sentì un po' imbarazzato. Sapeva che di solito erano le donne a leggere quella rivista, perciò, nella speranza di farla passare inosservata, prese anche una copia di *Shoot*. Ma dopo avere battuto il costo di *Shoot* Raj esitò.

Guardò prima *Vogue* e poi Dennis.

«Sei sicuro di volere anche questa, Dennis?» gli chiese. «Di solito lo comprano le signore, e il tuo insegnante di teatro, il signor Howerd».

«Oh...» Dennis esitò. «Veramente è per un'amica. Per il suo compleanno».

«Capisco! Allora ti servirà anche qualcosa per impacchettare il regalo?»

«Mmm, sì» Dennis sorrise. Raj era un ottimo uomo d'affari, abilissimo nel farti comprare cose assolutamente inutili.

«La carta da regalo è tutta laggiù, insieme alle cartoline di auguri».

Riluttante, Dennis si avviò nella direzione indicata.

«Oh!» proseguì elettrizzato Raj. «Ti servirà anche una cartolina per accompagnare il regalo! Permetti che ti aiuti...»

Girò saltellando attorno al bancone e cominciò a mostrare fiero a Dennis una cartolina d'auguri dopo l'altra. «Queste piacciono moltissimo alle signorine. Fiori. Le signorine vanno matte per i fiori. E questa...» Ne indicò un'altra. «Micetti! Guarda che adorabili micetti. E CUCCIOLI!» Raj era sempre più elettrizzato. «Guarda che cagnolini deliziosi! Sono così belli che viene da piangere solo a guardarli».

«Ecco...» balbettò Dennis, guardando la cartolina con i cuccioli e sforzandosi di capire perché guardarla dovesse far venire da piangere.

«La tua giovane amica preferisce i micetti o i cagnolini?» chiese Raj.

«Non saprei» rispose Dennis, incapace di decidere cosa potesse piacere alla sua "giovane amica"... se mai fosse esistita. «I cagnolini, forse...»

«Cagnolini sia! Questi cuccioli sono così graziosi che viene voglia di riempirli di baci!»

Dennis tentò di annuire, ma la sua testa rifiutò di muoversi.

«E che te ne pare di questa carta da regalo?» insisté Raj, tirando fuori un rotolo che somigliava in maniera sospetta a un avanzo di carta natalizia.

«C'è sopra Babbo Natale, Raj».

«Sì, Dennis! Pronto ad augurare un felicissimo compleanno!»

«Ne farò a meno, grazie».

«Se ne compri due rotoli, ti regalo il terzo».

«No. Grazie».

«Tre rotoli al prezzo di due! È un'offerta fantastica!»

«No, grazie».

«Sette al prezzo di cinque?»

Essendo alquanto scarso in matematica, Dennis non era sicuro se questa fosse o no un'offerta migliore. Ma poiché di sicuro non voleva sette rotoli di carta natalizia, soprattutto perché era marzo, ripeté ancora una volta: «No, grazie».

«Undici al prezzo di otto?»

«No, grazie».

«Sei fuori di te, Dennis! Rinunci a tre rotoli gratis!»

«Non mi servono undici rotoli di carta da regalo».

«E va bene. Ti aiuto a portare questa roba alla cassa».

Quando furono davanti alla cassa, Dennis guardò distrattamente i dolci esposti sul banco.

«*Vogue*, *Shoot*, una cartolina di auguri... ah ah! Stai occhieggiando i Kit Kat, eh?» chiese Raj ridendo.

«Stavo solo...»

«Prendine uno».

«No, grazie».

«Prendine uno» insisté Raj.

«Ma no...»

«Per piacere, Dennis, voglio che tu prenda un Kit Kat».

«Veramente non è che mi piacciano tanto...»

«Ma i Kit Kat piacciono a tutti! Ti prego, prendine uno».

Sorridendo, Dennis prese un Kit Kat.

«Un Kit Kat, sessanta pence» conteggiò Raj.

Dennis sgranò gli occhi, allibito.

«In totale fanno cinque sterline, grazie» concluse Raj.

Dopo essersi rovistato nelle tasche, Dennis tirò fuori alcune monete.

«E poiché sei il mio cliente preferito ti farò uno sconto» disse Raj.

«Oh, grazie».

«Quattro sterline e novantanove, prego».

Dennis era già sulla porta quando una voce alle sue spalle gridò: «Nastro adesivo!».

Si voltò. Raj agitava una scatola di nastro adesivo:

«Ti serve il nastro adesivo per impacchettare il regalo!».

«No, grazie» disse educatamente Dennis. «Ce l'ho a casa».

«Quindici rotoli al prezzo di tredici!» gridò Raj.

Dennis sorrise e riprese a camminare, sommerso da un'ondata improvvisa di eccitazione. Non vedeva l'ora di arrivare a casa e sfogliare le centinaia di pagine colorate e patinate della rivista. Affrettò il passo, accelerò sempre più, e infine, incapace di contenersi, si mise a correre.

Quando arrivò a casa, salì di volata in camera, chiuse la porta, si lasciò cadere sul letto e girò la prima pagina.

Come una cassa del tesoro uscita da un vecchio film, la rivista sembrò proiettare un bagliore dorato sul suo viso.

Le prime pagine erano tutte di pubblicità, ma in un certo senso erano anche la parte migliore: una dopo l'altra si susseguivano foto di donne splendide con splendidi vestiti e trucco e gioielli e scarpe e borsette e occhiali da sole. Sotto le foto scorrevano nomi quali Yves Saint-Laurent, Christian Dior, Tom Ford, Alexander McQueen, Louis Vuitton, Marc Jacobs e Stella McCartney. Dennis ignorava chi fossero, però gli piaceva l'effetto di quei nomi sulla pagina.

Alle pubblicità seguivano poche pagine scritte (sembravano noiose, perciò Dennis non le degnò di un'occhiata) e poi pagine e pagine di servizi di moda, non molto diverse dalle pubblicità: anche qui comparivano donne splendide in foto sorprendenti e favolose al tempo stesso. La rivista aveva perfino un profumo esotico, come se contenesse pagine speciali, di quelle dove tiri su una linguetta per dare un'annusata all'ultimo profumo. Dennis esaminò a lungo ogni pagina, affascinato dai vestiti: i colori, la lunghezza, i modelli. Avrebbe potuto restare a guardarle per sempre.

L'eleganza.

La bellezza.

La perfezione.

Finché sentì aprire la porta di casa. «Dennis? Ci sei, fratellino? Dove ti sei cacciato?»

Era John.

Dennis si affrettò a nascondere la rivista sotto il materasso. Non sapeva bene perché, ma non voleva che il fratello la vedesse.

Poi aprì la porta della camera, si affacciò sulle scale e gridò col tono più innocente possibile: «Sono quassù».

«Che combini?» chiese John salendo di volata i gradini, masticando un biscotto al cioccolato.

«Niente di che. Sono appena rientrato».

«Ti va di tirare quattro calci in cortile?»

«D'accordo».

Mentre giocava a pallone con il fratello, Dennis non riuscì a togliersi la rivista dalla testa. Era come se da sotto il materasso emanasse lo scintillio dell'oro. Quella sera, mentre John era in bagno, tirò fuori *Vogue* da sotto il materasso e lo sfogliò in silenzio, esaminando ogni orlo, ogni punto, ogni stoffa.

Da allora, ogni volta che gli era possibile, Dennis tornò a rifugiarsi in quel mondo splendido: era la sua Narnia, ma senza leoni parlanti che in teoria avrebbero dovuto rappresentare Gesù.

Purtroppo le fughe in quel mondo magico terminarono quando suo padre scoprì la rivista.

«Lo vedo da me, che è *Vogue*. Quello che voglio sapere è che ci fa mio figlio con una *rivista di moda?*»

Sembrava una domanda, ma il tono era così carico di collera e di violenza da fare dubitare a Dennis che fosse davvero richiesta una risposta. Non che riuscisse a farsene venire in mente una, sia chiaro.

«Mi piace e basta. Sono soltanto foto di vestiti e roba così».

«Questo lo vedo» ripeté il papà, guardando la rivista.

Poi di colpo si zittì e sul suo viso guizzò un'espressione strana. Fissò più attentamente la copertina e la foto della ragazza con il vestito a fiori. «Questo vestito... Somiglia a quello di tua ma...»

«Sì, papà?»

«Niente, Dennis. Niente».

Per un momento suo padre sembrò sul punto di piangere.

40

«Va tutto bene, papà» sussurrò Dennis, appoggiando cauto una mano sulla sua. Ricordava di avere fatto la stessa cosa con la mamma, una volta che il papà l'aveva fatta piangere. Ricordava anche come si era sentito strano: un bambino che confortava un adulto.

Per un momento il papà lasciò che Dennis gli stringesse la mano, ma poi la scostò imbarazzato e tornò ad alzare la voce: «No, figliolo, non va affatto bene. Guardare foto di vestiti! È troppo strano».

«Senti, papà... perché guardavi sotto il mio materasso?»

In realtà Dennis sapeva perfettamente il perché: suo padre aveva una copia di una rivista oscena, tipo quelle che Raj teneva sullo scaffale più in alto, e a volte John sgattaiolava in camera del papà e la prendeva per sfogliarla di nascosto. Ogni tanto anche Dennis l'aveva sfogliata, ma senza trovarla granché interessante. Non gli interessavano le signore svestite: lui preferiva guardare quello che indossavano.

Comunque, quando John "prendeva in prestito" la rivista, non era come quando prendevi in prestito un libro dalla biblioteca. Non c'era una bibliotecaria occhialuta che timbrava una tessera e ti faceva pagare la multa se la restituivi in ritardo.

Perciò di solito John la prendeva e se la teneva per un pezzo.

Probabilmente, intuì Dennis, la rivista era di nuovo sparita e il papà la stava cercando quando aveva trovato *Vogue*.

«Ecco... guardavo sotto il tuo materasso perché...» Il papà sembrò prima imbarazzato e poi irritato. «Il perché non importa! Sono tuo padre e ho il diritto di guardare sotto il tuo materasso quando mi pare!» concluse con il tono trionfante che talvolta gli adulti usano quando sanno benissimo di dire una sciocchezza.

Sventolò la rivista. «E ora questa finisce dritta nella spazzatura!»

«Ma papà...»

«Mi dispiace. Non va affatto bene. Un ragazzo della tua età che legge *Vogue*...» Pronunciò "Vogue" come se fosse un'assurda parola straniera. «Non va affatto bene» continuò a borbottare uscendo dalla stanza.

Dennis crollò a sedere sul letto. Sentì il padre scendere pesantemente le scale e sollevare il coperchio del bidone della spazzatura. Poi sentì il tonfo – *sbang!* – quando la rivista atterrò sul fondo.

Vorrei sparire

«Buongiorno, Dennis... o devo chiamarti Denise?» lo accolse John con uno sghignazzo crudele quando Dennis entrò in cucina la mattina dopo.

«Ti avevo detto di non parlarne» lo rimproverò il padre spalmando un dito di burro su una fetta di pane bianco. Quando c'era ancora la mamma, gli faceva usare la margarina. E pane integrale.

In silenzio, a testa china e senza guardare il fratello, Dennis si sedette a tavola e si riempì una scodella di fiocchi d'avena.

«Hai visto qualche bel vestitino, di recente?» tornò a stuzzicarlo John. E sghignazzò di nuovo.

«Ti ho detto di lasciarlo in pace!» disse il papà, alzando la voce.

«Riviste del genere le comprano le ragazze! E le *femminucce!*»

«STA' ZITTO!» ruggì il padre.

Di colpo, a Dennis passò la fame. Si alzò, prese lo zaino e uscì sbattendosi dietro la porta. L'ultima cosa che sentì fu la voce del padre: «Che ti avevo detto, John? La faccenda è chiusa, d'accordo? Quella robaccia è nella spazzatura».

Dennis s'incamminò riluttante verso la scuola. Non aveva voglia né di restare a casa *né* di andare a scuola. Temeva che il fratello parlasse di *Vogue* agli amici e che tutti lo avrebbero preso in giro. Voleva soltanto sparire. Da piccolo era convinto che, se avesse chiuso gli occhi, nessun altro avrebbe potuto vederlo. Ora come ora, avrebbe tanto desiderato che fosse vero.

La prima ora avevano lezione di storia. A Dennis la storia piaceva. Stavano studiando i Tudor e gli piaceva guardare i quadri dei re e delle regine in tutta la loro eleganza. Specialmente Elisabetta 1: lei sì che sapeva vestirsi da "donna in carriera"... un'espressione che aveva trovato su *Vogue* sotto la foto di un tailleur dal taglio incomparabile.

La lezione successiva, però, era chimica, e Dennis l'aveva sempre trovata di una noia allucinante: passò la maggior parte dell'ora fissando la tavola periodica e sforzandosi di capire che diavolo fosse.

Durante l'intervallo, giocò come sempre a pallone in cortile con gli amici. Si stava divertendo... finché vide John attraversare l'improvvisato campetto da calcio insieme a un gruppo di suoi compagni, ragazzacci con i capelli a spazzola che un giorno sarebbero probabilmente diventati buttafuori o criminali.

Dennis trattenne il fiato.

John gli rivolse un cenno, ma non aprì bocca.

Dennis si concesse un sospiro di sollievo.

Era quasi sicuro che John non avesse rivelato a nessuno che suo fratello leggeva una rivista da femmine. In fin dei conti, Darvesh stava giocando a calcio insieme a lui come al solito. Per giocare, usavano una vecchia palla da tennis biascicata da Stranguglio, il cane di Darvesh. Di regola, la scuola proibiva l'uso di palloni da calcio in cortile per evitare che si rompesse qualche finestra. Darvesh passò la palla all'amico, offrendogli la possibilità di segnare con un audace tiro angolato.

Dennis colpì la palla di testa, facendola volare al di sopra della presunta porta... e dritta contro la finestra della presidenza.

John e i suoi amici si bloccarono, sgomenti. Il silenzio calò sul cortile.

Si sarebbe potuto sentire cadere uno spillo... nel

caso improbabile che qualcuno lasciasse cadere uno spillo proprio in quel momento.

«Oops» disse Darvesh.

«Sì, oops» disse Dennis.

Ma "ooops" era a dir poco inadeguato. Il preside, il signor Hawtrey, odiava i ragazzi. Per la precisione, odiava chiunque... probabilmente perfino se stesso. Indossava sempre un impeccabile completo grigio con panciotto, cravatta color carbone e occhiali dalla montatura scura. Aveva sottili baffetti neri, e la scriminatura dei suoi capelli era perfetta. Nel complesso, aveva la faccia di qualcuno che ha fatto smorfie disgustate per tutta la vita.

Una smorfia perenne.

«Forse non c'è...» suggerì Darvesh speranzoso.

«Forse» disse Dennis deglutendo a fatica.

In quel momento la testa del preside spuntò dalla finestra. «RAGAZZI!» tuonò. Se possibile, il cortile diventò ancor più silenzioso. «Chi ha tirato questa palla?» Stringeva fra due dita la palla da tennis con la stessa aria disgustata dei proprietari di cani costretti a raccattare la cacca delle loro bestie.

Dennis era troppo atterrito per riuscire ad aprire bocca.

«Ho fatto una domanda. CHI HA CALCIATO QUESTA PALLA?»

Dennis deglutì. «Non l'ho calciata, signore» balbettò. «È stato un colpo di testa».

«Oggi resti in punizione, ragazzo. Fino alle quattro».

«Grazie, signore» balbettò Dennis, non sapendo che altro dire.

«E, a causa tua, per oggi è proibito giocare a palla» aggiunse il preside prima di rientrare nel suo ufficio. Un mormorio di delusione irritata serpeggiò nel cortile. Dennis non sopportava gli insegnanti che facevano così, quelli che punivano tutti per renderti impopolare fra i compagni. Era un trucco meschino.

«Non preoccuparti, Dennis» lo consolò Darvesh. «Lo sanno tutti che Hawtrey è un gran...»

«Sì, lo so».

Si sedettero sugli zaini, le spalle appoggiate al muro del laboratorio di scienze, aprirono i sacchetti di carta che contenevano i loro panini, e cominciarono a mangiare.

Dennis non aveva confessato a Darvesh di avere comprato *Vogue*, ma era curioso di scoprire – in modo indiretto, sia chiaro – che cosa ne avrebbe pensato l'amico.

Darvesh era Sikh, ma dato che, come Dennis, aveva solo dodici anni, non indossava ancora il turbante. Però portava il *patka*, una specie di cappellino col pompon che gli teneva i capelli lontani dal viso. Questo perché i Sikh maschi non dovrebbero tagliarsi mai i capelli. Nella loro scuola c'erano ragazzi di tutti i tipi, ma Darvesh era l'unico con il *patka*.

«Senti, Darvesh...» esordì Dennis. «Ti è mai capitato di sentirti *diverso*?»

«In che senso?»

«Be', ecco, sai com'è, qui a scuola sei il solo con quel coso in testa».

«Oh... per questo? Be', sì. Cioè, naturalmente a casa

non mi sento diverso. E neanche quando a Natale sono andato in India con mamma per fare visita ai nonni... Tutti i ragazzi Sikh portano il *patka*».

«D'accordo... ma a scuola?»

«All'inizio sì, è vero. Un po' ero imbarazzato perché mi sentivo diverso dagli altri».

«E...?»

«E poi... be', poi credo che, quando gli altri hanno imparato a conoscermi, hanno capito che in realtà non

ero tanto diverso da loro. Semplicemente ho in testa questo coso buffo!» Darvesh scoppiò a ridere.

Anche Dennis rise.

«Giusto. Sei mio amico, e basta, Darvesh. Neanche ci faccio più caso a quello che hai in testa. Anzi... mi piacerebbe averne uno anch'io».

«Macché, non ti piacerebbe affatto. Pizzica da morire! E poi... non credi che sarebbe una lagna, se fossimo tutti uguali?»

«Poco ma sicuro». Dennis sorrise.

Sono solo scarabocchi

Dennis non era mai finito in punizione, perciò sotto sotto era ansioso di vedere com'era. Quando si presentò nell'aula 4C, dove lo aspettava l'insegnante di francese, la signorina Windsor, vide che solo un'altra persona era stata condannata a un'ora di carcere.

Lisa.

Lisa James.

Ossia la ragazza più bella della scuola.

Era anche super-elegante e, chissà come, faceva sembrare la divisa scolastica un costume da video pop. Pur non avendole mai rivolto la parola, Dennis si era preso una cotta strepitosa per Lisa.

Ovviamente era impossibile che fra loro due potesse mai succedere qualcosa: Lisa aveva due anni in più ed era di almeno quindici centimetri più alta, il che la poneva di fatto fuori dalla portata di Dennis.

«Ciao» lo salutò Lisa. Aveva una voce super-favolosa: ruvida ai bordi, ma soffice dentro.

«Oh, ciao, ehm...» Dennis finse di non ricordare il suo nome.

«Lisa. Come ti chiami?»

Per un momento Dennis pensò di cambiarsi il nome in uno più d'effetto, tipo "Brad" o "Dirk", per fare colpo su di lei, ma poi si rese conto che sarebbe stato assurdo.

«Dennis».

«Ciao, Dennis. Com'è che sei finito qui?»

«Ho tirato una palla nell'ufficio del preside».

«Forte!» disse Lisa, ridendo.

Anche Dennis ridacchiò. Chiaramente Lisa credeva che l'avesse fatto apposta, e non sarebbe stato certo lui a correggerla.

«E tu perché sei qui?» le chiese.

«Hawtrey aveva da ridire sulla mia divisa. Stavolta la gonna era troppo corta».

Dennis diede un'occhiata alla gonna di Lisa. *Era* decisamente corta.

«Non che la cosa mi faccia strappare i capelli» proseguì lei. «Preferisco vestirmi come mi pare e beccarmi una punizione ogni tanto».

«Scusate» li interruppe la signorina Windsor. «Veramente quando si è in punizione non bisognerebbe parlare».

La signorina Windsor era una di quelle insegnanti gentili che non provano affatto gusto a rimproverare gli allievi. Di solito, prima di farlo diceva: "Chiedo scusa" o "Mi dispiace". Doveva avere una quarantina d'anni, non portava anelli e sembrava che non avesse figli. Le piaceva sfoggiare un pizzico di raffinatezza francese gettandosi sulle spalle, con ironica disinvoltura, sciarpe di seta colorate e, durante l'intervallo, mangiava una confezione da quattro *croissants* comprata al supermercato.

«Scusi, prof» disse Lisa.

Dennis e Lisa si scambiarono un sorriso. Dennis tornò a scrivere:

Non devo tirare palle contro la finestra del preside.
Non devo tirare palle contro la finestra del preside.
Non devo tirare palle contro la finestra del preside.

Poi sbirciò quello che stava facendo Lisa. Invece di scrivere, disegnava distrattamente modelli di vestiti. Un abito da ballo dalla scollatura vertiginosa che non avrebbe sfigurato su *Vogue*.

Lisa voltò pagina e cominciò a disegnare un top senza spalline e una gonna a sigaretta. Poi, subito accanto, disegnò un lungo, vaporoso abito bianco con tutte le curve al posto giusto. Era chiaro che aveva un vero talento per la moda.

«Chiedo scusa, Dennis, ma dovresti concentrarti a scrivere» disse la signorina Windsor.

«Scusi, prof» disse Dennis, e si rimise all'opera.

Non devo tirare palle contro la finestra del preside.
Non devo tirare Vogue contro la finestra del preside.
Non devo tirare Vogue contro la finestra del preside.

Sospirò e cancellò le ultime due righe. Si era distratto.

Dopo quarantacinque minuti, la signorina Windsor cominciò a lanciare occhiate ansiose all'orologio.

«Chiedo scusa...» disse alla sua classe di due allievi. «Vi dispiacerebbe molto se la punizione finisse un quarto d'ora prima? Vorrei tanto arrivare a casa in tempo per l'inizio della mia soap preferita. Il bar di Lassiter riapre oggi dopo un drammatico incendio...»

«Nessun problema, prof» replicò Lisa sorridendo. «Non si preoccupi: non lo diremo a nessuno!»

«Grazie» disse la signorina Windsor, con la confusa

impressione che chissà come i ruoli si fossero scambiati e fossero Dennis e Lisa a concederle il permesso di uscire.

«Ti va di accompagnarmi a casa, Dennis?» chiese Lisa.

«Eh?» disse Dennis in preda al panico.

«Ho detto: 'Ti va di accompagnarmi a casa?'»

«Oh, sì, sicuro...» disse Dennis, sforzandosi di fare l'indifferente.

Mentre camminava accanto a Lisa (il più lentamente possibile, così da poter restare insieme a lei più a lungo) Dennis si sentiva un po' come una celebrità.

«Ho visto i tuoi disegni, sai... Gli schizzi dei vestiti. Sono fantastici» disse dopo un po'.

«Grazie. Ma non sono niente di che... sono solo scarabocchi».

«E mi piace l'aspetto che hai».

«Grazie» rispose Lisa, sforzandosi di non ridere.

«Come ti vesti, cioè» si corresse Dennis. «Mi piace come ti vesti».

«Grazie» disse Lisa, sorridendo di nuovo. Quando sorrideva aveva un aspetto così incredibilmente affascinante che a Dennis riusciva difficile perfino guardarla. Perciò abbassò lo sguardo e notò che le scarpe di Lisa avevano la punta rotonda.

«Belle scarpe» commentò.

«Grazie d'averle notate».

«Quest'anno vanno le punte tonde. Quelle affusolate sono passate di moda».

«Dove l'hai letto?»

«Su *Vogue*. Cioè...»

«Leggi *Vogue*?»

Dennis trattenne il fiato. Oddio, che aveva detto? L'emozione di stare in compagnia di Lisa lo aveva spinto a parlare senza riflettere.

«Oh... no... ehm... cioè, sì, una volta».

«Ma è splendido!»

«Dici davvero?» chiese Dennis incredulo.

«Altroché! Sono troppo pochi i ragazzi che s'interessano di moda».

«Immagino...» Non sapeva se fosse la moda a interessarlo, o se gli piacesse semplicemente guardare le foto di bei vestiti, ma preferì non approfondire.

«Qual è il tuo stilista preferito?» indagò Lisa.

Dennis non era certo di avere uno stilista preferito, però ricordava che gli era piaciuto un sacco un fluttuante abito color crema lungo fino a terra creato da un certo John Gally-qualcosa.

«John Gally-qualcosa» rispose.

«John Galliano? Sì, è stupendo. Una leggenda. Crea anche i capi per Dior».

A Dennis piacque come diceva "capi". Anche su *Vogue* chiamavano così i vestiti.

«Bene, io abito qui. Grazie, Dennis. Ciao» disse Lisa.

Dennis si sentì mancare il cuore scoprendo che erano già arrivati. Lisa andò verso il portone, poi esitò e si voltò dicendo: «Se vuoi, puoi passare da me il fine settimana. Ho tonnellate di riviste di moda da mostrarti. Sai... da grande vorrei diventare una stilista, o qualcosa del genere».

«Di sicuro hai *già* stile» disse Dennis. Era sincero, ma chissà perché suonò dozzinale.

«Grazie» replicò Lisa.

Sapeva di avercene a bizzeffe, di stile.

Lo sapevano *tutti* che aveva stile.

«Domani è sabato. Ti va bene alle undici?»

«Oh... penso di sì» disse Dennis. Come se un qualunque evento, nel suo passato o nel suo futuro, potesse impedirgli di essere lì alle undici spaccate.

«A domani allora». Lisa gli sorrise ed entrò in casa.

E di colpo il mondo di Dennis ripiombò nella normalità, come quando, al cinema, le luci si riaccendono alla fine di un film.

Un'eternità
più un pezzo

Alle 10:59 Dennis era davanti a casa di Lisa. In effetti, lei gli aveva detto di venire alle undici, ma lui non voleva sembrarle troppo ansioso. Così aspettò che la lancetta dell'orologio scandisse i secondi che ancora lo separavano dall'ora X.

54,

    55,

        56,

            57,

                58,

                    59,

                        00.

E soltanto allora suonò il campanello.
La voce fioca di Lisa calò fluttuando dal primo piano

e la vista della sua sagoma sfocata al di là del vetro della porta bastò a fargli battere più forte il cuore.

«Ehi» lo salutò Lisa sorridendo.

«Ehi» ricambiò Dennis. Non aveva mai detto "ehi" a qualcuno, ma voleva essere come Lisa.

«Entra» lo invitò lei, e Dennis la seguì. La casa era molto simile a quella dove viveva con il padre e il fratello, ma, a differenza della sua, era piena di luce e colore. Sulle pareti erano appesi quadri e foto di famiglia, e nell'ingresso c'era un aroma appetitoso di torta appena sfornata. «Vuoi qualcosa da bere?»

«Un bicchiere di vino bianco?» suggerì Dennis, cercando di darsi un tono "da grande".

Per un momento Lisa lo fissò confusa. «Non ho vino. Che altro ti andrebbe?»

«Un succo di frutta, allora?»

Lisa inarcò le sopracciglia. «Quello penso di averlo».

Ne trovò una confezione, riempì un paio di bicchieri e poi salirono in camera sua.

A Dennis quella stanza piacque all'istante.

Era uguale a come gli sarebbe piaciuto fosse la *sua* stanza. Le mura erano tappezzate di foto ritagliate da riviste di moda, istantanee di donne splendide in luoghi affascinanti.

Sugli scaffali erano allineati libri di moda e libri su attrici famose tipo Audrey Hepburn e Marilyn Monroe. In un angolo della stanza c'era una macchina da cucire e accanto al letto torreggiava una pila di *Vogue*.

«Ne faccio collezione» spiegò Lisa. «Anche dell'edizione italiana. Qui non è facile procurarsela, ma ne vale la pena: pesa una tonnellata, ma è la migliore di tutte! Vuoi vederla?»

«Altroché». Dennis non aveva mai sospettato che nel mondo fossero pubblicate altre edizioni di *Vogue*.

Si sedettero sul letto, uno accanto all'altra, e cominciarono a sfogliare lentamente la rivista. Le foto erano a colori, ma gli abiti che mostravano erano interamente bianchi o neri, o una combinazione dei due colori.

«Acci! Questo vestito è fantastico» disse Dennis.

«È uno Chanel. Probabilmente costa una fortuna, ma è splendido».

«I lustrini sono una forza».

«E guarda questo con lo spacco» aggiunse Lisa, accarezzando la pagina con un dito.

Passò un'eternità più un pezzo mentre esaminavano ogni pagina, discutendo ogni dettaglio di ogni vestito.

Quando finalmente chiusero la rivista, avevano l'impressione di essere amici da sempre.

Lisa tirò fuori un'altra rivista per mostrare una delle sue sequenze – o meglio, "storie" – preferite. Era stata pubblicata su un vecchio *Vogue* edito in Inghilterra e mostrava diverse modelle in parrucche e abiti metallici che sembravano uscite da un film di fantascienza.

Dennis fu semplicemente conquistato dalla stravaganza di quelle immagini fantastiche, così diversa dalla fredda, grigia realtà della sua vita.

«Faresti un figurone, con questo vestito dorato» disse, indicando una modella i cui capelli avevano lo stesso colore di quelli di Lisa.

«Lo farebbe chiunque. È un vestito stupendo. Non potrei mai permettermelo, però mi piace guardare le foto e trarne spunti per i miei modelli. Ti va di vederli?»

«Eccome!»

Lisa tolse dallo scaffale un grosso album pieno di coloratissimi disegni di gonne, camicette, vestiti e cappelli. Accanto a ogni disegno erano incollate le cose più disparate: brandelli di stoffa luccicante, foto ritagliate dalle riviste, e perfino bottoni.

Lisa stava per voltare pagina quando Dennis, colpito dallo schizzo di uno strabiliante vestito arancione coperto di lustrini, la bloccò.

«Questo è *fantastico*!»

«Grazie, Dennis! Sì, mi è venuto proprio bene. E ora lo sto cucendo».

«Davvero? Posso vederlo?»

«Naturalmente».

Lisa aprì l'armadio e ne tirò fuori il vestito, ancora incompleto.

«Ho comprato la stoffa per una sciocchezza. L'avevano appena messa in saldo» spiegò. «Ma è comunque perfetta. Un po' anni '70, direi... assolutamente affascinante».

Sollevò la gruccia per esibire meglio il vestito. Anche se non era perfettamente rifinito e aveva ancora alcune imbastiture, era coperto da centinaia di lustrini rotondi che scintillavano nel sole del mattino.

«Fantastico» disse Dennis.

«A te starebbe d'incanto!» esclamò Lisa. Ridendo, gli piazzò il vestito davanti. Anche Dennis rise, e abbassò lo sguardo sul vestito. Per un momento si concesse il lusso d'immaginare che aspetto avrebbe avuto se l'avesse indossato, ma subito si disse di non essere sciocco.

«È proprio un bel vestito» osservò. «Però non è giusto... noi ragazzi dobbiamo vestirci in modo così noioso».

«Secondo me, tutte queste regole su come una persona può o non può vestirsi sono una lagna. Chiunque dovrebbe potersi vestire come meglio crede, giusto?»

«Be'... sì, immagino di sì» rispose Dennis. In effetti, fino ad allora non ci aveva mai pensato, però Lisa aveva ragione. Che c'era di male a vestirti come preferivi?

«Perché non te lo provi?» gli chiese l'amica con un sorriso impertinente.

Seguì un breve silenzio.

«O forse no... era un'idea balzana» si affrettò a fare marcia indietro Lisa, avvertendo l'imbarazzo di Dennis. «Però mascherarsi è divertente. A me piace indossare bei vestiti, e scommetto che piacerebbe anche a un sacco di ragazzi. Non è niente di che».

Dennis aveva il cuore in gola... gli sarebbe tanto piaciuto dire "sì", ma non ci riuscì. Non poteva e basta. Era troppo...

«Devo andare» disse di botto.

«Devi proprio?» chiese Lisa, delusa.

«Sì mi dispiace».

«Però tornerai a trovarmi? Oggi mi sono davvero divertita. Il prossimo numero di *Vogue* esce la settimana prossima. Perché non passi sabato?»

«Non saprei...» rispose Dennis, filandosela a tutta velocità. «Ma grazie di nuovo per il succo di frutta...»

Guardando rischiararsi l'orlo delle tende

«Buon compleanno, papà!» gridarono Dennis e John.

«Non mi piacciono i compleanni» disse il padre.

Dennis si sentì sprofondare. Per lui la domenica era sempre un giorno terribile. Sapeva che molte famiglie si sedevano a tavola per mangiare l'arrosto e questo bastava a fargli tornare in mente la mamma. Per di più, quando il papà tentava di cucinare un arrosto domenicale, l'unico risultato era di rendere ancora più penosa la loro perdita.

Era come se nella mente di tutti e tre ci fosse un posto per qualcuno che amavano e che non era presente.

Senza contare che, come cuoco, il papà non era davvero un granché.

Quella domenica, poi, era perfino peggiore delle altre: era il compleanno del padre, ma lui era deciso a non festeggiarlo.

Dennis e John lo avevano aspettato tutto il pomeriggio per augurargli buon compleanno. La mattina era uscito prestissimo per andare al lavoro ed era rientrato solo alle sette di sera. E quando i figli erano scesi in cucina in punta di piedi per fargli una sorpresa, l'avevano trovato seduto davanti a una lattina di birra e a un sacchetto di patatine, con addosso ancora la solita giacca a scacchi rossi.

«Perché non ve ne andate a giocare, ragazzi? Preferirei stare solo».

A quelle parole, la cartolina d'auguri e la torta che avevano comprato sembrarono dissolversi fra le mani di Dennis e John.

«Mi dispiace, ragazzi» disse il papà, rendendosi conto che c'erano rimasti male. «È solo che... be', in fondo non mi pare che ci sia granché da festeggiare».

«Ti abbiamo preso la torta, papà, e una cartolina d'auguri» disse John.

«Grazie».

Il padre aprì la cartolina. Veniva dal negozio di Raj e mostrava un grosso orso sorridente che per qualche strano motivo indossava bermuda e occhiali da sole.

Dennis l'aveva scelta perché c'era scritto "Buon compleanno al papà migliore del mondo".

«Grazie, ragazzi» disse il padre guardandola. «Però non me lo merito. Non sono il papà migliore del mondo».

«Sì, invece» disse Dennis.

«Secondo *noi*, lo sei» aggiunse incerto John.

Il padre tornò a fissare la cartolina. Dennis e John

avevano pensato che l'avrebbe messo di buonumore, invece sembrò avere l'effetto opposto.

«Scusate, ragazzi... è solo che, da quando vostra madre se n'è andata, per me i compleanni sono un brutto momento».

«Lo so, papà» sussurrò Dennis. John annuì e si sforzò di sorridere.

«Oggi Dennis ha segnato un gol per la squadra della scuola» disse John tentando d'introdurre un argomento più allegro.

«Davvero, figliolo?»

«Sì, papà» annuì Dennis. «Oggi c'erano le semifinali e abbiamo vinto 2 a 1. Io ho segnato un gol e Darvesh ha segnato l'altro. Siamo in finale!»

«Bene, bene...» Con lo sguardo perso nel vuoto, il padre tracannò un altro sorso di birra. «E ora dovete scusarmi, ma ho proprio bisogno di starmene da solo per un po'».

«Va bene, papà». John rivolse un cenno a Dennis, che prima di seguirlo fuori dalla stanza toccò per un momento la spalla del padre. Ci avevano provato. Però compleanni, Natale, vacanze, perfino le gite al mare... lentamente tutte queste cose erano sparite.

Ci aveva sempre pensato la mamma a organizzarle

e ormai sembravano lontanissime. La loro casa stava diventando un posto molto freddo e molto grigio.

«Ho bisogno di un abbraccio» disse Dennis.

«Non guardare me. Poco ma sicuro, io non ti abbraccio».

«Perché no?»

«Perché sono tuo fratello. Manco ci penso, ad abbracciarti. Sarebbe troppo strano. Ora devo uscire. Ho promesso ai ragazzi di raggiungerli al muretto davanti al negozio di liquori per stare un po' con loro».

Anche Dennis sentiva il bisogno di uscire di casa. «Allora vado da Darvesh. A più tardi».

Mentre attraversava il parco, fu assalito dal rimorso di avere lasciato il padre solo in cucina. Desiderava con tutto il cuore di renderlo felice.

«Come butta?» gli chiese Darvesh mentre passavano in rassegna i video di YouTube in camera sua.

«Al solito» rispose Dennis in tono poco convincente. Non era bravo a dire bugie, ma del resto essere bravi a dire bugie non è una bella cosa.

Io, per esempio, non ne ho mai detta neanche mezza. Tranne ora.

«È che sembri distratto».

Vero. Dennis *era* distratto. Non solo continuava a

pensare al padre, ma non riusciva neanche a togliersi dalla testa il vestito arancione con i lustrini.

«Senti, Darvesh... tu mi resteresti amico qualunque cosa io facessi, vero?»

«Sicuro».

«Darvesh! Dennis! Volete una bella bibita energetica fresca?» gridò la madre di Darvesh dalla stanza accanto.

«No, grazie, mamma!» gridò di rimando Darvesh, e sospirò. Dennis sorrise.

«È una di quelle bibite super-energetiche! Vi darà un sacco di energia per la finale!» insisté lei.

«D'accordo, mamma. Magari più tardi...»

«Bravo il mio pulcino! Se vincerete sarò così fiera di te. Ma del resto lo sarei anche in caso contrario, lo sai!»

«Sì, sì...» sbuffò Darvesh. E poi sussurrò: «Santo cielo, com'è imbarazzante».

«Fa così perché ti vuole bene» disse Dennis.

E poi, dato che l'amico restava zitto, cambiò bruscamente argomento.

«Mi fai provare il tuo cappello?» chiese.

«Il mio *patka*?»

«Sì, il tuo *patka*».

«Sicuro, se ci tieni. Credo di averne un altro da qualche parte». Dopo aver rovistato in un cassetto tirò fuori un altro *patka* e lo passò a Dennis, che se lo mise in testa con grande cura.

«Come mi sta?» chiese.

«Hai un'aria da scemo!»

Scoppiarono a ridere tutti e due. Poi, dopo una breve riflessione, Darvesh aggiunse: «Insomma, non è che se te lo metti diventi Sikh, giusto? Su di te è solo un cappello buffo. Un po' come se ti mettessi in maschera».

Dennis tornò a casa sentendosi un po' più allegro. Aveva perfino riso degli sciocchi video di YouTube, soprattutto di quello in cui un gatto si accucciava su un bebè e gli metteva il didietro sulla faccia.

Ma il suo buonumore sparì quando rientrò e trovò il padre ancora seduto dove l'avevano lasciato, davanti a un'altra lattina di birra e alle solite patatine fredde e unticce.

«Ciao papà» disse Dennis, sforzandosi di sembrare contento di vederlo.

Il padre alzò appena lo sguardo e sospirò.

John era già a letto e, quando Dennis entrò in camera, neanche gli rivolse la parola. Rimasero distesi a letto tutti e due, in un silenzio assordante. Non avevano niente da dirsi.

Dennis non riuscì a chiudere occhio e passò la notte guardando rischiararsi l'orlo delle tende.

Soltanto una cosa impedì che l'angoscia lo soffocasse: il pensiero di Lisa, del mondo che lei gli aveva svelato, e del vestito arancione coperto di lustrini che scintillavano al sole...

Sul tappeto insieme a Lisa

Lisa sollevò il vestito arancione con i lustrini. «È finito!» disse.

Era il sabato successivo e Dennis era ancora una volta in camera dell'amica. Fianco a fianco avevano esaminato ogni pagina del nuovo numero di *Vogue* prima che la ragazza facesse il suo annuncio.

Il vestito era perfetto.

«È la cosa più bella che abbia mai visto» disse Dennis.

«Grazie!» Lisa ridacchiò, un po' imbarazzata dall'enormità del complimento. «A dire la verità, voglio che lo tenga tu. È un regalo».

«Un regalo... per *me*?»

«Sì, Dennis. Ti piace così tanto che mi sembra giusto darlo a te».

«Ma non posso...»

«Sì, invece».

Gli tese il vestito.

«Grazie...» Dennis lo prese. Era più pesante di quanto avesse immaginato e al tatto i lustrini erano diversi da qualunque cosa avesse mai toccato. Un'opera d'arte. In assoluto il regalo più bello che gli avessero mai fatto. Ma... dove poteva tenerlo? Certo non era il caso di appenderlo accanto alla giacca a vento nell'armadio che spartiva con il fratello.

E che cosa avrebbe potuto *farne?*

«Perché non lo provi?» chiese Lisa.

Lo stomaco di Dennis eseguì una capriola. Si sentiva come una nuova compagna del Doctor Who quando entra per la prima volta nella sua macchina del tempo, la Tardis. Questo sì che *sarebbe stato* qualcosa di diverso.

«Solo per divertirsi» insisté Lisa.

Dennis guardò il vestito. *Sarebbe stato* divertente provarlo. «Be'... se lo pensi davvero...»

«Assolutamente».

Prese fiato.

«Solo un minuto, però».

«D'accordo!»

Dennis cominciò a spogliarsi e di colpo si bloccò, imbarazzato.

«Non temere, non guardo» lo rassicurò Lisa, chiudendo gli occhi.

Una volta rimasto in calzini e mutande, Dennis s'infilò nel vestito e lo tirò su aggiustando le spalline. La stoffa gli scivolò setosa sulla pelle: dava una sensazione diversa dai soliti vestiti da ragazzo, una sensazione insolita. Annaspò sulla schiena alla ricerca della chiusura-lampo.

«Non so...»

«Lascia fare a me» disse l'esperta, aprendo un occhio. «Girati». Lisa tirò su la lampo. «Hai un aspetto splendido. Che effetto fa?»

«Un bell'effetto, davvero». D'altra parte era più che bello: era meraviglioso. «Posso vedermi allo specchio?»

«Aspetta! Prima dobbiamo trovare le scarpe adatte!» Lisa tirò fuori un paio di incredibili scarpe dorate con la suola rossa e i tacchi alti. «Queste le ho trovate in un negozio dell'usato. Sono Christian Louboutin originali,

ma la vecchietta al banco me le ha vendute per appena due sterline!»

Dennis si chiese se Christian Louboutin le avrebbe mai volute indietro.

Si chinò per infilare le scarpe, ma Lisa lo bloccò. «Prima faresti meglio a toglierti le calze» gli disse, occhieggiando il ditone che sbucava da un buco particolarmente grosso dei logori calzini grigi.

In effetti, un po' sciupavano l'effetto generale.

«Sì, giusto». Dennis sfilò i calzini e infilò i piedi nudi nelle scarpe affusolate. I tacchi erano così alti da farlo barcollare: per un momento temette di cadere, e Lisa dovette sorreggerlo prendendolo per mano.

«*Ora* posso guardarmi allo specchio?» chiese Dennis.

«Prima devo truccarti».

«No, Lisa!»

«Dobbiamo fare le cose per bene». Lisa tirò fuori i cosmetici. «È troppo divertente! Ho sempre desiderato una sorellina. Ora fai così...»

Aprì bene la bocca e, quando Dennis la imitò, gli passò delicatamente il rossetto sulle labbra. Gli fece un effetto strano. Piacevole, però strano. Mai avrebbe immaginato che il rossetto avesse quel sapore: oleoso e simile a cera.

«Un po' d'ombretto?»

«No, davvero...» protestò Dennis.

«Appena appena!»

Dennis chiuse gli occhi e Lisa gli stese sulle palpebre un po' di ombretto argenteo con un pennellino.

«Sei stupendo, Dennis. O dovrei chiamarti Denise!»

«È così che mi ha chiamato mio fratello quando ha saputo della rivista».

«In tal caso sarà questo il tuo nome da ragazza. Ti *chiami* Dennis, però se fossi una ragazza ti chiameresti Denise».

«Ora posso guardarmi allo specchio?»

Prima di guidarlo verso lo specchio appeso a una parete, Lisa gli rassettò il vestito con mano esperta. Dennis guardò il proprio riflesso e per un momento quello che vide lo sconvolse.

Quasi subito però lo sgomento si tramutò in stupore. Scoppiò a ridere. Era così felice che aveva voglia di ballare.

A volte si provano emozioni così profonde che le parole non bastano a esprimerle. Prese a saltellare davanti allo specchio e Lisa fece altrettanto, canticchiando un ritmo inventato lì per lì.

Per un po' si scatenarono in un folle musical tutto loro, per lasciarsi infine cadere ridendo sul tappeto.

«Allora... ti piace?» chiese Lisa, ancora ridendo.

«Sì. È solo un po'...»

«Strano?»

«Sì, un po' strano».

«Però stai bene».

«Davvero?»

Imbarazzato dalla felicità che provava stando seduto sul tappeto accanto a Lisa, Dennis si alzò e tornò a specchiarsi. Anche Lisa si alzò e si portò al suo fianco.

«Sei splendido» gli disse. «E sai una cosa?»

«Che cosa?»

«Secondo me, vestito così ingannaresti chiunque. Sembri proprio una ragazza».

«Sul serio? Sei sicura?» Dennis tornò a guardarsi allo specchio a occhi socchiusi, sforzandosi di immaginare come sarebbe apparso a un estraneo.

In effetti *sembrava* un po' una ragazza...

«Altroché se sono sicura» replicò Lisa. «Sei magnifico. Che ne dici... ti va di provare qualche altro vestito?»

«Non so...» rispose Dennis, sentendosi di colpo imbarazzato. «Se arrivasse qualcuno...»

«Mamma e papà sono andati al vivaio. È una lagna, ma a loro piace da impazzire! Fidati: resteranno fuori per ore».

«Allora... questo, magari?» disse Dennis indicando un lungo vestito color porpora simile a quello che Kylie Minogue aveva indossato per una cerimonia di premiazione.

«Bella scelta!»

Poi Dennis provò un mini-abito rosso che la mamma aveva comprato a Lisa per un matrimonio, una gonna gialla a palloncino stile anni '80 che le era stata passata

da zia Susie e un delizioso vestito alla marinara a righe bianche e blu che Lisa aveva trovato a una vendita di beneficenza.

In effetti, quel pomeriggio Dennis provò l'intero guardaroba di Lisa. Scarpe dorate, scarpe argentate, scarpe rosse, scarpe verdi, stivali, borse enormi, borse piccolissime, *pochettes*, camicette, lunghe gonne fluttuanti, minigonne, orecchini, braccialetti, fasce per capelli, bluse morbide, perfino una tiara!

«Non è giusto» disse alla fine. «Le ragazze hanno tutte le cose migliori!»

«Qui le regole non valgono» replicò Lisa ridendo. «Qui, Dennis, puoi essere quello che vuoi, chiunque vuoi!»

Bonjour, Denise

La mattina dopo Dennis era a letto, immobile sotto le coperte, ma gli sembrava d'essere sulle montagne russe. Aveva la mente in subbuglio. Quando si era travestito, aveva avuto l'impressione di non essere più il solito noioso Dennis con la solita vita noiosa. "Posso essere chiunque!" pensò.

Mentre faceva la doccia guardò le mattonelle del bagno: erano verde scuro, come un avocado. Chissà perché i suoi genitori avevano scelto un colore così disgustoso. Se avessero chiesto la sua opinione, avrebbe suggerito d'installare una vasca da bagno antica e di usare mattonelle bianche e nere. Ma dato che era un ragazzino, nessuno si era mai degnato di chiedere il suo parere.

Per usare la doccia bisognava avere la precisione di uno scassinatore. Bastava girare il miscelatore un millimetro di troppo e l'acqua usciva gelata o bollente.

Dennis lo posizionò con cura nel punto esatto per evitare di congelarsi o ustionarsi e si versò su una mano un bioccolo di docciaschiuma. Come ogni mattina. La solita opprimente routine. Eppure, da qualche parte, il mondo ribolliva di possibilità.

Quando scese in cucina, trovò John che mangiava toast e nutella guardando *HollyOaks* alla tivù.

«Papà è già uscito?» chiese Dennis.

«Sì. L'ho sentito partire alle quattro. Il fracasso del camion non ti ha svegliato?»

«No, non mi pare».

«Ha detto qualcosa a proposito di dover portare non so che cibo per gatti a Doncaster».

Dennis pensò che la vita del camionista non era affascinante come poteva sembrare.

Anzi, non era affascinante per niente.

Si riempì una scodella di Rice Krispies e stava per portarsene una cucchiaiata alla bocca quando il campanello trillò. Un trillo deciso, lungo e forte.

DDDRRRRIIIIIIIIIIIIIIIING!

Dennis e John erano così curiosi di scoprire chi mai poteva trovarsi davanti alla loro porta di domenica mattina, che schizzarono entrambi ad aprire. Il postino non passava la domenica mattina... per l'esattezza, non passava mai la mattina perché preferiva fare il suo giro quando gli andava, nel pomeriggio.

Comunque non era il postino.

Era Lisa.

«Ciao» li salutò.

«Argh...» grugnì John, di colpo incapace di spiccicare parola.

Dennis sapeva che il fratello aveva un debole per Lisa... a scuola non riusciva a staccarle gli occhi di dosso. Del resto *tutti* avevano un debole per Lisa. Era così stupenda che probabilmente anche il cuore degli scoiattoli saltava un battito quando passava lei.

«Uh... che vuoi?» balbettò John, incapace di funzionare normalmente in presenza della Bellezza.

«Sono passata a trovare Dennis» rispose Lisa.

«Oh». John si voltò a guardare il fratello con un'espressione avvilita e offesa al tempo stesso, simile a quella di un cane sul punto d'essere soppresso.

«Vieni» disse Dennis a Lisa, gustandosi al cento per cento lo sconvolgimento di John. «Stavo facendo colazione».

Accompagnò Lisa in cucina e si sedettero.

«Oh! Io adoro *HollyOaks*» disse Lisa guardando la tivù.

«Sì, anch'io» si affrettò ad annuire Dennis.

John gli lanciò un'occhiata che diceva a chiare lettere: *Brutto bugiardo, mai prima d'ora ti sei interessato di questa interminabile serie per adolescenti ambientata a Chester.*

Dennis lo ignorò. «Vuoi mangiare qualcosa?» chiese a Lisa.

«No, grazie... soltanto una tazza di tè».

«Super».

Mentre Dennis metteva a scaldare l'acqua, John

tornò a fulminarlo con gli occhi. Stavolta il suo sguardo diceva: *Tu non dici mai "super". Sono così furioso che vorrei strapparti la testa e usarla come pallone.*

«Mi sono divertita, ieri» disse Lisa.

«S... sì» biascicò Dennis, che non voleva parlarne davanti al fratello. «Anch'io...» E, ben sapendo che questo lo avrebbe fatto impazzire di gelosia, aggiunse: «... insieme a te».

«DOVEVAMO ANDARE A GIOCARE A PALLONE NEL PARCO» disse John, latrando ogni parola nel tentativo di mostrarsi autoritario, ma in realtà con l'unico risultato di sembrare fuori di testa.

«Va' avanti. Io resto un po' qui a chiacchierare con Lisa e poi ti raggiungo». Dennis guardò il fratello e sorrise. Anche Lisa sorrise.

E i loro sorrisi congiunti spinsero John fuori dalla stanza.

Quando sentirono la porta di casa chiudersi con un tonfo dietro di lui, Lisa scoppiò a ridere, elettrizzata al pensiero del loro segreto.

«Allora...? Come ti senti?» chiese a Dennis.

«Mi sento... benissimo!»

«Ho avuto un'idea. È folle, ma...»

«Spara!»

«Dunque... ricordi quando ho detto che avresti potuto ingannare chiunque? Che chiunque ti avrebbe preso per una ragazza?»

«Sì...» annuì nervosamente Dennis.

«Bene... sai che poco tempo fa alcuni dei nostri compagni di scuola hanno ospitato degli studenti francesi...»

«E allora...?»

«Così ho pensato... è folle, ma... be', ho pensato che potrei travestirti da ragazza e dopo potremmo andare insieme da Raj e raccontargli che sei una mia amica francese o qualcosa del genere. Non dovresti dire granché, perché, insomma, be', sei francese!»

«No!» esclamò Dennis sentendosi assalire da un misto di euforia e terrore, come se lo avessero appena incaricato di assassinare un presidente.

«Sarebbe divertente».

«Assolutamente no».

«Però sarebbe una forza, ti pare? Se davvero ci cascasse...»

«Impossibile! Passo da Raj tutti i giorni. Mi riconoscerebbe subito».

«Scommetto di no. Ho portato una parrucca che mamma aveva comprato per andare a una festa in costume. Potrei truccarti come ieri. Sarebbe uno spasso... proviamoci oggi stesso, dai!»

«*Oggi?*»

«Sicuro. È domenica, perciò ci sarà meno gente in circolazione. Ho portato anche un vestito, perché speravo tanto che accettassi».

«Non so, Lisa. Devo finire i compiti...»

«Ho portato anche una borsetta...»

Dieci minuti dopo Dennis si guardava nello specchio dell'ingresso. Indossava un corto vestito blu elettrico e stringeva una *pochette* argentata. In effetti era un vestito adatto per andare a una festa, non un abito che chiunque potesse indossare la domenica mattina per andare all'edicola.

Meno che mai un ragazzo di dodici anni.

Ma avere Lisa che si agitava intorno a lui – truccandolo, infilandogli i piedi in un paio di scarpe argentate col tacco alto, e pettinando la parrucca – era stato così divertente che Dennis non aveva protestato.

«Pensi davvero che Raj mi prenderà per una tua amica francese?» chiese.

«Sei uno splendore. Il trucco sta nell'esibire una gran sicurezza. Se ci credi tu, ci crederanno anche gli altri».

«Forse...»

«Coraggio, fa' vedere come cammini».

Dennis barcollò avanti e indietro nell'ingresso, sforzandosi d'imitare il passo felpato delle modelle in passerella.

«Sembri Bambi che muove i primi passi» disse Lisa ridendo.

«Grazie tante».

«Scusa, scherzavo. Senti, con i tacchi così alti devi stare diritto. Così...»

Dennis imitò la posa di Lisa e subito si sentì un po' meno incerto. «Sai... comincio a prenderci gusto».

«Sì, è una bella sensazione essere un po' più alti. E per giunta fa sembrare più belle le gambe».

«Denise è un nome francese?»

«Qualunque parola pronunciata con l'accento francese sembra francese» affermò Lisa.

«De-niiiis» ridacchiò Dennis. «Bonjour, je m'appelle De-niiis».

«Bonjour, Denise. Vous etes très belle» disse Lisa.

«Merci beaucoup, mademoiselle Lisa».

Scoppiarono a ridere entrambi.

«Pronto?» chiese Lisa.

«Pronto a...?»

«A uscire».

«No, ovviamente no».

«Ma?»

«Ma lo farò!»

Risero di nuovo entrambi. Lisa aprì la porta e Dennis uscì fuori, alla luce del sole.

Offerte speciali

All'inizio Lisa dovette sorreggere l'amico per impedire che barcollasse, ma dopo pochi passi Dennis cominciò a camminare con maggiore sicurezza.

Ci vuole un po' di tempo per abituarsi ai tacchi alti. Non che lo sappia per esperienza personale, sia chiaro. Me l'ha detto non-ricordo-chi.

Non ci misero molto per arrivare da Raj. Lisa diede una stretta rassicurante alla mano di Dennis, Dennis prese fiato e fianco a fianco entrarono nel negozio.

«Buongiorno, Lisa» disse Raj con un sorriso radioso. «Ti ho messo da parte l'ultimo numero di *Vogue*. Ma quanto pesa! Peggio di un mattone! L'ho ordinato apposta per te».

«Grazie mille, Raj».

«E chi è la tua amica?»

«Oh, è la nostra ospite francese... per lo scambio

di studenti che facciamo a scuola, sai? Si chiama Denise».

Per un momento Raj scrutò Dennis. Sarebbero riusciti a ingannarlo? Dennis aveva la gola secca per l'ansia.

«Ciao Denise, benvenuta nel mio negozio» disse infine Raj. Lisa e Dennis si scambiarono un sorriso. Era evidente che Raj non nutriva il minimo sospetto. «Lo sai che questo è il miglior negozio di tutta l'Inghilterra? Qui puoi comprare tutte le cartoline che vuoi per spedirle a casa!» Raj esibì un pacchetto di cartoline postali.

«Ma sono bianche, Raj» osservò Lisa.

«Esatto! Così puoi disegnarci sopra il panorama di Londra che preferisci. E ho una scelta incomparabile di pennarelli. Dunque... vieni dalla Francia?»

«Sì» rispose Lisa.

«Oui» balbettò Dennis.

«Ho sempre sognato di andare nella Francia» sospirò Raj. «È in Francia, vero?»

Lisa e Dennis si guardarono perplessi.

«Bene, se c'è qualcosa che posso fare per te mentre sei in Inghilterra... scusa, come hai detto che ti chiami?» chiese Raj.

«De-niiiiis» rispose Dennis.

«Hai un accento delizioso, signorina Denise».

«Merci».

«Che ha detto?» chiese Raj.

«Grazie» tradusse Lisa.

«Oh! Merci, merci!» si entusiasmò Raj. «Ora parlo francese! Se c'è qualcosa che posso fare per te, qualunque cosa, fammelo sapere. Ora, Lisa, prima che ve ne andiate, ho un'offerta speciale della quale vorrei parlarti».

Lisa e Dennis si scambiarono un'occhiata d'intesa.

«Nove ovetti Kinder al prezzo di otto».

«No, grazie» disse Lisa.

«Non, merci» disse Dennis, sentendosi sempre più sicuro di sé.

«E ho anche parecchie scatole di cipolle sottaceto appena appena scadute. Quindici al prezzo di tredici. Una prelibatezza tipicamente inglese. Forse alla tua amica francese piacerebbe provarla, e magari portarne qualcuna a casa per i suoi cari».

«Prendo solo *Vogue*, grazie, Raj» disse Lisa mettendo i soldi sul bancone. «Arrivederci».

«*Au revoir*» disse Dennis.

«Arrivederci, signorine. Tornate presto a trovarmi».

Uscirono dal negozio sottosopra per l'eccitazione e si allontanarono in fretta, reggendo fra loro la rivista

pesantissima. Raj le seguì in strada agitando un sacchetto di patatine e gridando: «Tu sì che sai contrat-
tare, Lisa! Aggiungo all'affare una cassetta di carne in
scatola assolutamente gratis!»

La voce di Raj echeggiò nella strada mentre Dennis
e Lisa correvano via, senza fiato per l'eccitazione.

Questi tacchi alti mi stanno uccidendo

Finalmente si sedettero su un muretto per riprendere fiato.

«Ce l'abbiamo fatta!» esclamò Lisa.

«C'è cascato in pieno!» aggiunse Dennis. «Non mi ero mai divertito così tanto in vita mia!»

«Senti... andiamo in città? Ci sarà un sacco di gente!»

«Mi piacerebbe, Lisa, ma questi tacchi alti mi stanno uccidendo!»

«Non è facile essere una ragazza, eh?»

«Davvero! Non avevo idea che le vostre scarpe facessero tanto male. Come fate a metterle tutti i giorni?» Le sfilò e si massaggiò i piedi. Aveva l'impressione che fossero finiti in una morsa. «Ora sarà meglio tornare a casa. Devo cambiarmi e andare nel parco a incontrare John, o si chiederà che fine ho fatto».

«Oh!» Lisa non riuscì a nascondere la sua delusione. «Sei proprio un guastafeste».

«Ciao, Lisa!»

A chiamarla era stato Mac, un suo compagno di classe, che li raggiunse sbuffando e ansimando. Mac era uno dei ragazzi più grassi della scuola e per questo godeva di un'indesiderata celebrità. Come al solito era passato da Raj per comprare il quotidiano sacchetto di dolciumi.

«Ciao» disse Lisa. Poi bisbigliò a Dennis: «Non preoccuparti, basta che tu stia zitto». A voce alta disse: «Allora, Mac... che hai di buono là dentro?».

A differenza dei suoi compagni, invece di usare il soprannome "Big Mac" Lisa lo chiamava sempre per

nome. A volte i giovani si trasmettono l'un l'altro la crudeltà come se fosse un raffreddore, ma Lisa era diversa.

«La mia colazione» rispose Mac. «Un paio di sacchetti di cioccolatini, un Toblerone, un Bounty, gommose, caramelle, sette confezioni di patatine che Raj aveva in offerta speciale, una di ovetti al cioccolato e una lattina di Diet Coke».

«*Diet* Coke?» chiese Lisa.

«Sì, sto cercando di mettermi a dieta» spiegò serio Mac.

«Buona fortuna» replicò Lisa, *quasi* senza traccia d'ironia. «Però se fossimo tutti magri sarebbe una noia, sai».

«Può essere. Ma dimmi... chi è la tua affascinante amica?» chiese Mac sorridendo e infilandosi in bocca un ovetto al cioccolato tutto intero.

«È un'amica francese, Denise. Starà da me per qualche tempo».

Dennis rivolse a Mac un sorriso incerto, e Mac lo fissò continuando a masticare. Passò un bel po' di tempo prima che riuscisse a demolire una quantità di ovetto cioccolatoso sufficiente per riprendere a parlare.

«Bonjour, Denise» biascicò fra una masticata e l'altra.

«Bonjour, Mac» replicò Dennis, pregando in cuor

suo che la conversazione non andasse oltre le poche parole francesi di sua conoscenza.

«Parlez-vous la nostra lingua?» chiese Mac.

«Oui, cioè, un po'» balbettò Dennis.

«Una volta ho ospitato anch'io uno studente francese. Si chiamava Hervé. Un tipo a posto. Però puzzava. Non si faceva mai la doccia e alla fine abbiamo dovuto annaffiarlo in un angolo del giardino». Continuò a masticare. «Hervé veniva a scuola con me. Ci verrai anche tu, domani, insieme a Lisa? Spero di sì. Secondo me, le ragazze francesi sono uno schianto». Un rivoletto cioccolatoso gli scivolò sul mento. In preda al panico, Dennis lanciò un'occhiata a Lisa.

«Oh, sì, certo, domani Denise verrà a scuola con me» disse Lisa.

«Davvero?» Dennis era così sbigottito da rischiare di perdere tutto d'un colpo sia la voce da ragazza sia l'accento francese.

«Sicuro. A domani, Mac».

«Bene, ragazze, au revoir!» le salutò Mac prima di allontanarsi facendo oscillare allegramente il suo sacchetto di vettovaglie.

«Oh, no!» disse Dennis.

«Oh, sì!» disse Lisa.

«Sei impazzita?»

«Eddai, almeno pensaci su. Non sarebbe una forza se riuscissimo a imbrogliare tutti? Sarebbe uno spasso... il nostro segreto».

«Be', sì, in effetti sarebbe uno spasso» ammise Dennis mentre un sorriso gli curvava lentamente le labbra. «Se gli insegnanti, gli amici, mio fratello... se tutti mi credessero una ragazza...»

«Allora...?»

«D'accordo, però mi rifiuto di usare di nuovo queste scarpe!»

Mentre trotterellava verso casa, a disagio in quelle scarpe scomode, Dennis non immaginava d'essere sul punto di fare un capitombolo...

Un altro mondo

«Queste scarpe ancora mi preoccupano» disse Dennis.

«Sono perfette. Non si vede affatto che sono extralarghe».

Era lunedì mattina, Lisa e Dennis erano fermi davanti al cancello della scuola. Dennis era di nuovo travestito da Denise, col vestito arancione che gli piaceva tanto e, forse per via dei lustrini, o forse del nervosismo, sudava come una fontana.

«Non ce la farò mai...»

«Andrà tutto bene» lo rassicurò sottovoce Lisa mentre allievi e insegnanti entravano nella scuola. «Mica sei obbligato ad aprire bocca. Qui nessuno spiccica una parola di francese. A stento riescono a parlare la loro stessa lingua».

Ma Dennis era troppo teso per ridere alla battuta di Lisa.

«Imbrogliare Raj e Mac è un conto, ma... l'intera scuola? Di sicuro qualcuno mi riconoscerà...»

«Macché. Sei completamente diverso. Nessuno capirà che sei Dennis».

«Abbassa la voce!»

«Scusa. Fidati, nessuno ti riconoscerà. Comunque, se vuoi tornare a casa...»

Dennis ci pensò su. «No. Sarebbe troppo noioso».

Lisa sorrise. Dennis ricambiò il sorriso e s'inoltrò nel cortile con un passo così sciolto che Lisa dovette accelerare per tenergli dietro.

«Rallenta» gli sussurrò. «Sei una studentessa francese, mica una supermodella».

«Scusa... cioè, *pardonnez-moi*».

Qualcuno si era fermato a guardarle. Del resto, i ragazzi guardavano sempre Lisa perché era così terribilmente carina; e le ragazze, perfino quelle gelose che s'inventavano motivi per non apprezzarla, la guardavano per controllare com'era vestita. E adesso che era in compagnia di una sconosciuta, per giunta senza l'uniforme della scuola, c'era un motivo in più per guardarla. Dennis si crogiolò nella sensazione di tutti quegli sguardi puntati su di lui... e poi vide Darvesh, che lo aspettava fuori dall'aula come al solito. A volte, prima che squillasse la campanella, tiravano quattro calci al pallone. Per un momento Darvesh lo fissò, ma quasi subito distolse lo sguardo. "Però!" pensò Dennis. "Nemmeno il mio migliore amico mi riconosce".

L'aula di Lisa era all'ultimo piano dell'edificio principale. John era dello stesso anno di Lisa, ma per fortuna non frequentava la stessa classe. E nessuno dei ragazzi più grandi conosceva Dennis, esattamente come lui non conosceva loro. In una scuola di quasi un migliaio di allievi è molto facile passare inosservati.

A meno, ovviamente, d'essere incredibilmente affascinante come Lisa; o di avere infilato il pisello in una provetta durante una lezione di chimica, come Rory Malone.

Entrarono in classe dopo l'ultimo trillo della campanella, mentre la professoressa Bresslaw, l'insegnante di educazione fisica, faceva l'appello. La Bresslaw era molto amata dai suoi allievi, anche se aveva un alito mefitico. Secondo una leggenda della scuola, una volta le era bastata una fiatata per spaccare la finestra della sala insegnanti... ma ci credevano soltanto quelli del primo anno.

«Steve Connor».

«Presente».

«Mac Cribbins».

«Presente».

«Louise Dale».

«Presente».

«Lorna Douglas».

«Presente».

«Lisa James... sei in ritardo».

«Chiedo scusa, prof».

«Chi è la ragazza insieme a te?»

«La mia ospite francese, professoressa. Si chiama Denise».

«Non mi avevano avvertita...»

«Davvero? Scusi tanto. Lo dirò ad Hawtrey durante l'intervallo».

«Il professor Hawtrey» la corresse la Bresslaw.

«Chiedo scusa. Chiarirò la cosa con il preside, il professor Hawtrey».

La Bresslaw lasciò il suo posto dietro la cattedra e si avvicinò alla nuova allieva. Mentre scrutava Dennis, gli alitò in faccia.

"Poco ma sicuro, l'alito le puzza davvero" pensò Dennis. La puzza era un misto di sigarette, caffè e cacca. Trattenne il fiato, sempre sudando. Cominciava a temere che da un momento all'altro il trucco gli si

sarebbe sciolto per gocciolare in una pozzanghera sul pavimento. Seguì un lungo silenzio. Lisa sorrise. E finalmente la professoressa Bresslaw ricambiò il sorriso.

«Bene» disse. «Trovati un posto, Denise. Benvenuta nella nostra scuola».

«*Merci beaucoup*» cinguettò Dennis. Prese posto accanto a Lisa mentre la Bresslaw continuava l'appello.

Sotto il banco, Lisa cercò la sua mano e la strinse come per dire: *Non preoccuparti*. Dennis ricambiò la stretta, ma solo perché era una bella sensazione.

Più tardi, mentre andavano a lezione di geografia, Mac li raggiunse sbuffando e ansimando. «Ciao, ragazze».

«Ciao, Mac» lo salutò Lisa. «Come va con la dieta?»

«Lentamente» rispose Mac scartocciando una barretta di cioccolato. «*Bonjour*, Denise» disse nervosamente.

«*Bonjour* a te, Mac» rispose Dennis.

«Ecco... pensavo, probabilmente dirai no, ma... insomma, se tu e Lisa non avete già programmi per dopo la scuola, be', mi chiedevo se per caso ti andasse di venire a mangiare un gelato o due insieme a me».

In preda al panico, Dennis guardò Lisa, che si affrettò a entrare in azione. «Mi dispiace, Mac, purtroppo Denise e io abbiamo da fare... però so che le farebbe davvero piacere. Un'altra volta, magari?»

Mac sembrò deluso, ma non col cuore spezzato. E Dennis fu impressionato dal tatto dimostrato da Lisa per liberarsi di lui senza offenderlo.

«Magari ci vediamo più tardi» disse Mac. Rivolse a Dennis un sorriso timido e si allontanò ruminando il Twix e cominciando a scartocciare un Walnut Whip.

Lisa attese che fosse a distanza di sicurezza prima di dire: «Si è preso una cotta per te».

«Oh, no!»

«Sta' calmo, è fantastico. Meraviglioso, davvero. Significa che sei una ragazza convincente». Scoppiò a ridere.

«Non c'è niente di buffo».

«Sì, invece» replicò Lisa, e continuò a ridere.

La lezione di geografia passò senza incidenti, anche se Dennis dubitava che le conoscenze sui meandri dei fiumi appena acquisite gli sarebbero mai state della minima utilità.

A meno che, ovviamente, non volesse diventare un insegnante di geografia.

Anche la lezione di fisica passò senza incidenti. Calamite e limatura di ferro. Affascinante! Dennis non ci aveva capito niente quand'era un ragazzo e ne capì ancor meno travestito da ragazza. Stava imparando in fretta alcune cose, come "In classe è meglio tenere la bocca chiusa", "Ricorda di incrociare le gambe quando indossi un vestito" e, soprattutto, "Non incrociare lo sguardo dei ragazzi, potresti essere più attraente di quanto credi!"

Finalmente, con suo grande sollievo, la campanella tornò a trillare. Era l'intervallo.

«Devo andare in bagno» bisbigliò Dennis.

«Anch'io» disse Lisa. «Andiamoci insieme». Lo prese per mano e insieme varcarono la porta del bagno delle ragazze.

Entrarono in un altro mondo...

Per i ragazzi, i bagni erano un posto strettamente funzionale. Ci andavi per fare quello che dovevi fare, tutt'al più scribacchiavi qualche insulto a Hawtrey sulla porta del tuo cubicolo, e poi uscivi. Nei bagni delle ragazze, invece, sembrava che fosse in corso una festa.

Era strapieno.

Dozzine di ragazze lottavano per conquistarsi un

posto davanti agli specchi mentre altre chiacchieravano con le loro vicine di cubicolo.

Lisa e Dennis si unirono alla coda per un gabinetto. Per Dennis era un'esperienza nuova, ma scoprì che gli piaceva. Era così divertente ascoltare il chiacchiericcio delle ragazze e guardarle agitarsi l'una attorno all'altra. A distanza di sicurezza dai ragazzi, sembravano diverse. Chiacchieravano e ridevano e condividevano ogni cosa.

Le risate, lo scintillio, i cosmetici... era un mondo perfetto!

Lisa si ritoccò il rossetto. Stava per mettere via il trucco, e poi esitò.

«Vuoi che lo ritocchi anche a te?» chiese a Dennis.

«Oh, *oui*, grazie» rispose Dennis col suo miglior accento francese.

«Vediamo un po'...» Lisa frugò nella borsetta. «E se provassimo un rossetto di colore diverso?»

«Ne ho uno rosa che è un amore» intervenne una ragazza.

«Io ho appena comprato quest'ombretto» disse un'altra. E prima che Dennis potesse aprire bocca, gli furono tutte attorno e si misero all'opera con matita per le labbra, fondotinta, fard, matita per gli occhi, mascara, rossetto... ogni cosa.

Erano anni che Dennis non si sentiva così felice. Tutte quelle ragazze che chiacchieravano con lui lo facevano sentire speciale. Era in paradiso.

Due ore di francese

«Sono all'inferno» sussurrò Dennis.

«Zitto» bisbigliò Lisa.

«Non mi avevi detto che oggi avevi *francese*».

«Me n'ero scordata».

«Te n'eri *scordata*?»

«Zitto. A dire la verità, le ore sono due».

«*Due* ore?»

«*Bonjour*, ragazzi» cinguettò la signorina Windsor entrando in aula. Dennis si augurò che non lo riconoscesse: in fin dei conti, l'aveva visto soltanto quella volta che era in punizione.

«*Bonjour, mademoiselle*» rispose in coro la classe. La Windsor iniziava sempre la lezione in francese, così da trasmettere la fallace impressione che gli allievi parlassero un francese fluente. Di colpo scorse la ragazza truccatissima, con il vestito arancione. In effetti, non si

poteva fare a meno di notarla. Spiccava come un faro nel grigiore dell'aula.

«*Et qui etes-vous?*» indagò. Dennis ammutolì, raggelato dal terrore, con la spaventosa sensazione d'essere sul punto di vomitare, o di farsela addosso, o tutti e due insieme, se possibile.

Non ricevendo risposta, la signorina Windsor abbandonò il francese, come faceva di solito pochi secondi dopo essere entrata in aula, e ripeté nella propria lingua: «E tu chi sei?».

Ma ancora Dennis non rispose.

Tutti guardarono Lisa, che deglutì a fatica. «È la nostra ospite... una studentessa tedesca» rispose.

«Non avevi detto che era francese?» chiese in tutta innocenza Mac, la voce soffocata dal cioccolatino al caramello che stava masticando.

«Oh, giusto, scusi. Una studentessa francese. *Grazie*, Mac» disse Lisa, lanciando a Mac un'occhiata furibonda, che gli fece aggrottare la fronte, perplesso e offeso.

All'istante il viso della Windsor s'illuminò di gioia. Non sorrideva così da quando aveva vinto la battaglia affinché la mensa servisse *baguettes* a pranzo.

«*Ah, mais soyez la bienvenue! Quel grand plaisir de vous accueillir dans notre humble salle de classe! C'est tout simplement merveilleux! J'ai tant de questions à vous poser. De quelle région de la France venez-vous? Comme sont les écoles là-bas? Quel est votre passe-temps favori? Que font vos parents dans la vie? S'il-vous-plait, venez au tableau et décrivez votre vie en France pour que nous puissons tous en bénéficier. Ces élèves pourraient tirer grand profit d'un entretien avec une vraie Française telle que vous! Mais rendez-moi un service, ne me corrigez pas devant eux!*»*

Come tutti nell'aula, e con ogni probabilità come la maggior parte dei lettori di questo libro, a parte quelli eccezionalmente bravi in francese, Dennis non aveva la minima idea di cosa gli avesse appena detto la professoressa. In effetti neanch'io ne avevo la minima idea, e me lo sono dovuto fare tradurre da un amico laureato in francese.

In parole povere, la professoressa Windsor era felicissima di avere in classe una francese autentica e le stava facendo un sacco di domande sulla sua vita in Francia. O almeno me lo auguro... sempre che il mio amico non mi abbia preso in giro e la professoressa

Windsor stesse in realtà parlando del suo episodio preferito di *Spongebob Squarepants* o simili.

«Oh... *oui*» rispose Dennis, nella speranza di evitare di cacciarsi in troppi guai limitandosi a dire "sì".
Purtroppo la professoressa si agitò ancora di più, e lo
trascinò davanti alla classe continuando a chiacchierare
eccitata in francese.

«*Oui, c'est vraiment merveilleux. On devrait faire
cela tous le jours! Faire venir des élèves dont le
français est la langue maternelle! Ce sont le jours
comme-celui-ci que je me souviens pourquoi j'ai
voulu devenir prof. S'il-vous-plait, racontez-nous vos
premières impressions de l'Angleterre*».

Ancora una volta Dennis tacque, pietrificato. Lisa
aveva l'aria di voler dire qualcosa per aiutarlo, però era
incapace di spiccicare parola.

Dennis aveva l'impressione di essere sott'acqua, o in
un incubo. Si guardò attorno: nell'aula regnava un'im-
mobilità irreale. Tutti lo fissavano. Niente si muoveva,
a parte le mascelle di Mac.

Ci vuole un bel po' per masticare un cioccolatino
al caramello.

«Potrei dire qualcosa in inglese?» chiese infine Dennis in un incerto falso accento francese.

La professoressa sembrò un po' sorpresa e molto delusa. «Sì, naturalmente».

«Ecco, come posso spiegare, come si dice... educatamente?»

«Educatamente, *oui*».

«Il fatto è, *Madame* Windsor, che il suo accento francese è davvero spaventoso e mi dispiace moltissimo, ma non riesco a capire una parola di quello che dice» proseguì Dennis.

Alcuni allievi scoppiarono in una risatina crudele. Gli occhi della professoressa si velarono e una lacrima scivolò sulla guancia.

«Si sente bene, prof? Vuole un fazzoletto?» chiese Lisa, fulminando Dennis con lo sguardo.

«No, no, sto benissimo, grazie, Lisa. Mi è solo entrato qualcosa in un occhio, tutto qui».

Per qualche istante la professoressa Windsor rimase immobile, vacillando come se fosse stata colpita da una pallottola e fosse sul punto di crollare a terra. «Ehm, perché non leggete un po' per conto vostro... Ho bisogno di uscire un momento a prendere un po' d'aria». Si diresse a passi incerti verso la porta dell'aula, come se la pallottola si stesse facendo lentamente strada verso il suo cuore. Si chiuse la porta alle spalle.

Per un momento calò il silenzio. Poi dal corridoio arrivò un gemito assordante.

«Aaaaaaaaaaaaaaaaaaaaaaaaaaaaaaaaaaaaaaaaaaa aaaaaaaaaaaaaaah».

Di nuovo silenzio.

Un altro gemito. «Aaaaaaaaaaaaaaaaaaaaaaaaaaa aaaaaaaaah».

Ancora un breve silenzio, seguito da un gemito molto più lungo. «Aaaaaaaaaaaaaaaaaaaaaaaaaaaaaa aaaaaaaaaaaaaaaaaaaaaaaaaaaaaaaaaaaaaaaa aaaaaaaaaaaaaaaaaaaaaaaaaaaaaaaaaaaaaaaaaaaaaaaa aaaaaaaaaaaaaaaaaaaaaaaaaaaaaaaaaaaaaaaaaaaaaaaaa aaaaaaaaaaaaaaaaaaaaaaaaaaaaaaaaaaaaaaaaaaaaaaaaa

aaaaaaaaaaaaaaaaaaaaaaaaaaaaaaaaaaaaa
aaaaaaaaaaaaaaaaaaaaaaaaaaaaaaaaaaaaaaaaa
aaaaaaaaaaaaaaaaaaaaaaaaaaaaaaaaaaaaaaaaaaaaa
aaaaaaaaaaaaaaaaaaaaaaaaaaaaaaaaaaaa
aaaaaaaaaaaaaaaaaaaaaaaaaaaaaaaaaaaa
aaaaaaaaaaaaaaaaaaaaaaaaaaaaaaaaaaaa
aaaaaaaaaaaaaaaaaaaaaaaaaaaaaaaaaaaaaa
aaaaaaaaaaaaaaaaaaaaaaaaaaaaaaaaaaaaaaaaaa
aaaaaaaaaaaaaaaaaaaaaaaaaaaaaaaaaaaaaaaaaaaaa
aaaaaaaaaaaaaaaaaaaaaaaaaaaaaaaaaaaaaaaaaaaa
aaaaaaaaaaaaaaaaaaaaaaaaaaaaaaaaaaaaaaaaaaa
aaaaaaaaaaaaaaaaaaaaaaaaaaaaaaaaaaaaaaaaaaaaaaaa
aaaaaaaaaaaaaaaaaaaaaaaaaaaaaaaaaaaaaa
aaaaaaaaaaaaaaaaaaaaaaaaaaaaaaaaaaaaa
aaaaaaaaaaaaaaaaaaaaaaaaaaaaaaaaaaaaaa
aaaaaaaaaaaaaaaaaaaaaaaaaaaaaaaaaaaaaa
aaaaaaaaaaaaaaaaaaaaaaaaaaaaaaaaaaaaa
aaaaaaaaaaaaaaaaaaaaaaaaaaaaaaaaaaaaaa
aaaaaaaaaaaaaaaaaaaaaaaaaaaaaaaaaaaaaaa
aaaaaaaaaaaaaaaaaaaaaaaaaaaaaaaaaaaaa

120

aaaaaaaaaaaaaaaaaaaaaaaaaaaaaaaaaaaaaaaaaaaaaaaaaaa
aaaa**aaaaaaaaaaaaaaaaaaaaaaaaaaa**
aaaaaaaaaaaaaaaaaaaaaaaaaaaaaaaaaaaaaaaaaa
aaaaaaaaaaaaaaaaaaaaaaaaaaaaaaaaaaaaaaaaaaaaaaaaah».

Ora le labbra degli allievi che avevano ridacchiato erano serrate dal dispiacere. Lisa guardò Dennis, che chinò la testa e tornò al suo posto strusciando avvilito i tacchi alti sul pavimento.

Altri secondi passarono, lunghi come ore, prima che la professoressa Windsor rientrasse in aula con gli occhi rossi e gonfi dal pianto.

«Bene, dunque, ehm... bene, bene... aprite il libro di testo a pagina cinquantotto e rispondete alle domande *a, b* e *c*».

Gli allievi si misero al lavoro, molto più silenziosi e obbedienti del solito.

«Le andrebbe un cioccolatino al caramello, prof?» si azzardò a chiedere Mac. Nessuno meglio di lui sapeva che consolazione può essere il cioccolato nei momenti di sconforto.

«No, grazie, Mac. Non voglio sciuparmi l'appetito prima di pranzo. Oggi c'è *boeuf bourguignon*...»

S'interruppe, scoppiando di nuovo in un pianto irrefrenabile.

Un silenzio gelido

«Sei un &t**%$£% totale!»

Ooops, chiedo scusa. Lo so che, anche se nella vita di tutti i giorni i ragazzi dicono parolacce in quantità, in un libro per ragazzi non dovrebbero farlo. Chiedo scusa. Sono davvero %£@$*&t dispiaciuto.

«Non dovresti dire parolacce, Lisa» la rimproverò Dennis.

«Perché no?» chiese rabbiosa Lisa.

«Perché qualche insegnante potrebbe sentirti».

«Non m'importa chi può sentirmi! Come ti sei permesso di trattare così la povera Windsor?»

«Lo so... mi dispiace...»

«Probabilmente ora starà annaffiando di lacrime il suo *boeuf bourguignon*» disse Lisa mentre uscivano nel cortile affollato. Come sempre durante l'ora di pranzo gli allievi, riuniti in gruppetti, chiacchieravano, ride-

122

vano e si godevano quel breve momento di libertà vigilata. Qua e là iniziavano partite di calcio: partite cui Dennis avrebbe senza dubbio partecipato... se non fosse stato truccato e non avesse indossato parrucca e vestito arancione con i lustrini.

E tacchi alti.

«Forse dovrei chiederle scusa» mormorò Dennis.

«*Forse*?» sbottò Lisa. «*Devi* farlo! Andiamo subito in mensa. Di sicuro è lì... a meno che non sia andata a gettarsi nella Senna».

«Non farmi sentire ancora peggio».

Mentre attraversavano il cortile, una palla rotolò davanti a loro. «Rimandacelo, bellezza» gridò Darvesh.

Dennis non riuscì a trattenersi: il suo istinto di calciatore era troppo forte.

«Non farti notare troppo» si raccomandò Lisa, ma Dennis era già partito in quarta. Incapace di controllarsi, inseguì la palla a tutta velocità, la bloccò abilmente e prese la rincorsa per rispedirla agli amici.

Poi, mentre tirava un calcio, la scarpa a tacco alto volò via e Dennis barcollò all'indietro.

La parrucca gli scivolò dalla testa e finì per terra.

Denise ridiventò Dennis.

Il tempo sembrò fermarsi.

Dennis rimase paralizzato in mezzo al cortile della scuola, truccato e vestito da femmina e con una scarpa sola.

Un silenzio gelido come una nevicata calò sul cortile. Tutti si fermarono e si voltarono a guardarlo.

«Dennis...?» balbettò Darvesh, incredulo.

«No, mi chiamo Denise» replicò Dennis. Ma ormai era fatta.

Si sentiva come se avesse appena fissato Medusa, il mostro della mitologia greca che trasformava le persone in pietra con un solo sguardo. Non riusciva a muoversi. Guardò Lisa: era livida. Dennis si sforzò di sorriderle.

Finalmente, dal silenzio scaturì una risata.

E poi un'altra.

E un'altra ancora.

Ma non una risata complice, divertita. Questa era la risata crudele, beffarda, che vuole umiliare e ferire. La risata diventò sempre più fragorosa, finché Dennis ebbe l'impressione che il mondo intero ridesse di lui.

Per tutta l'eternità.

«Ahahahahahahahahahahahahahahahaha-hahahahahahahahahahahahahaahahahahahahahahahahaha-hahahahahahahahahahahahahahahahahahahahaha-hahahahahahahahahahahahahahahahaha-hahahahahahahahahahahahahahahahaha-

hahahahahahahahahahahahahahahahahahahaha-
hahahahahahahahahahahahahahahaha-
hahahahahahahahahahahahahahahahahahahahaha-
hahahahahahahahahahahahahahahaha-
hahahahahahahahahahahahahahahahahahahaha-
hahahahahahahahahahahahahahahaha-
hahahahahahahahahahahahahahahahaha-
hahahahahahahahahahahahahahahahahahahaha-
hahahahahahahahahahahahahaha-
hahahahahahahahahahahahahahahahaha-
hahahahahahahahahahahahahahahahahahaha-
hahahahahahahahahahahahahahahahahaha-
hahahahahahahahahahahahahahahaha-
hahahahahahahahahahahahahahaha-
hahahahahahahahahahahahahahahahahaha-
hahahahahahahahahahahahahahahahaha-
hahahahahahahahahahahahahahahahahahahaha-
hahahahahahahahahahahahahahahahahahaha-
hahahahahahahahhahahahahahahahahahahahahaha-
hahahahahahahahahahahahahahahahahahahaha-
hahahahahahahahahahahahahahahahahahaha-
hahahahahahahahahahahahahahahahaha-
hahahahahahahahahahahahahahahahah».

«Tu, ragazzo!» tuonò una voce proveniente dall'edificio principale della scuola.

La risata cessò all'istante e tutti alzarono lo sguardo. Era stato il signor Hawtrey a parlare, il preside dal cuore di tenebra.

«Chi, io?» chiese Dennis in tono d'incauta innocenza.

«Sì, tu. Il ragazzo con la gonna».

Dennis si guardò attorno, ma in tutto il cortile di ragazzo con la gonna c'era solo lui. «Sì, signore?»

«Nel mio ufficio. ORA».

Con gli sguardi di tutti incollati addosso, Dennis si avviò lentamente verso l'edificio a passi incerti, zoppicanti.

Lisa raccolse l'altra scarpa. «Dennis...» chiamò.

Dennis si voltò.

«L'altra scarpa...»

Dennis fece per andare a prenderla.

«Lascia perdere, ragazzo!» ruggì il signor Hawtrey, i baffetti frementi di collera.

Con un sospiro, Dennis riprese a zoppicare verso l'ufficio del preside.

Tutto là dentro era nero, oppure marrone molto scuro. Sugli scaffali si susseguivano volumi di vecchie pagelle rilegati in cuoio e antiche foto in bianco e nero di presidi passati, le cui espressioni severe facevano sembrare quasi umano il signor Hawtrey. Era la prima volta che Dennis metteva piede là dentro.

Del resto, non era un posto che chiunque tenesse a visitare. Entrare lì significava una cosa soltanto: CHE ERI NELLA CACCA FINO AL COLLO.

«Sei impazzito, ragazzo?»

«No, signore».

«Allora perché hai addosso un vestito arancione coperto di lustrini?»

«Non saprei, signore».

«Non lo sai?»

«No, signore».

Il signor Hawtrey si chinò a scrutarlo più da vicino. «È *rossetto*, quello?»

Dennis si sentì salire le lacrime agli occhi. Anche se Hawtrey se ne accorse, proseguì imperterrito la sua requisitoria.

«Presentarti a scuola vestito così! Truccato e con i tacchi alti! È disgustoso».

«Mi dispiace, signore».

Una lacrima scivolò sulla guancia di Dennis, che la bloccò con la lingua. Aveva un sapore amaro. Un sapore odioso.

«Mi auguro che tu sia sommerso dalla vergogna» continuò Hawtrey. «Ti vergogni orrendamente?»

Fino ad allora Dennis non si era vergognato affatto. Ma adesso sì.

«Sì, signore».

«Non ho sentito, ragazzo».

«SÌ, SIGNORE». Dennis abbassò la testa. Un fuoco oscuro ardeva negli occhi di Hawtrey ed era difficile sostenerne lo sguardo. «Mi dispiace tantissimo, davvero».

«Troppo tardi per dispiacersi, ragazzo. Non sei andato a lezione e hai sconvolto gli insegnanti. Sei una calamità. Non voglio degenerati come te nella mia scuola».

«Ma signore...»

«Sei espulso».

«Ma... e la finale del torneo di calcio, signore? È sabato... devo giocare!»

«Hai chiuso con le partite di calcio, ragazzo».

«La prego, signore! La supplico...»

«SEI ESPULSO, ho detto! Lascia all'istante questa scuola!»

Nient'altro da dire

«Espulso?»

«Sì, papà».

«ESPULSO?»

«Sì».

«Ma perché...?»

Dennis e suo padre erano seduti in soggiorno. Erano le cinque del pomeriggio e Dennis si era tolto il trucco, lavato la faccia e infilato i soliti vestiti nella speranza di attutire un minimo il colpo.

Si era sbagliato, però.

«Ecco...» Dennis non era sicuro di trovare le parole. Non era sicuro che sarebbe *mai* riuscito a trovarle.

«È VENUTO A SCUOLA VESTITO DA FEMMINA!» sbraitò John puntando il dito contro il fratello, come se fosse un alieno che fino a quel momento aveva ingannato tutti assumendo forma umana.

A quanto pareva, aveva origliato.

«Ti sei vestito da femmina?» chiese il papà.

«Sì» ammise Dennis.

«L'avevi mai fatto prima d'ora?»

«Un paio di volte».

«Un paio di volte! Ti *piace* vestirti da femmina?»

Negli occhi del padre c'era la stessa espressione tormentata di quando la mamma se n'era andata.

«Ecco... un po'...»

«O ti piace o non ti piace».

Un respiro profondo.

«Sì, papà. Mi piace. È... divertente».

«Che cos'ho fatto per meritarmi questo? A mio figlio piace vestirsi da femmina!»

«A *me* no, papà» si affrettò a dire John, ansioso di mettersi in buona luce. «Non ho mai messo la gonna io, manco per scherzo, e mai lo farò».

«Grazie, John» disse il padre.

«Prego. Posso prendermi un Magnum dal frigo?»

«Sì... sì, certo, prendilo pure».

«Grazie, papà». John era raggiante di orgoglio come se gli avessero appena appuntato un distintivo con la scritta: "Figlio N°1".

«Bene, è deciso. Non vedrai più quel programma... *Small England* o come si chiama, quello con i due idioti vestiti da "siiiiignore". Chiaramente ha una pessima influenza su di te».

«Sì, papà».

«Ora va' in camera e fa' i compiti!»

«Non ho compiti. Mi hanno espulso...»

«Oh, giusto». Il papà ci pensò su un momento. «In tal caso va' in camera e restaci».

Dennis passò davanti a John, seduto sulle scale a gustarsi giulivo il suo Magnum, entrò in camera e si gettò sul letto: tutta la sua vita era andata a rotoli, e solo perché si era infilato un vestito! Tirò fuori la foto che aveva salvato dal falò: quella di lui, John e la mamma sulla spiaggia. Ormai non gli restava altro. Fissò la foto. Avrebbe dato qualunque cosa per essere di nuovo su quella spiaggia, la bocca sporca di gelato, la mano stretta nella mano della mamma. Forse, se l'avesse fissata abbastanza a lungo, sarebbe scomparso per ricomparire in quella scena felice.

All'improvviso, la foto gli fu strappata di mano.

Suo padre gliel'agitò davanti al naso.

«E questa cos'è?»

«Soltanto una foto, papà».

«Ma le avevo bruciate tutte. Non voglio niente, qui, che ricordi quella donna!»

«Mi dispiace, papà. Era volata fuori dal falò, sulla siepe».

«E ora finisce dritta nella spazzatura, proprio come la tua rivista».

«Ti prego, papà, no! Lasciamela!» Dennis gliela strappò di mano a sua volta.

«Come ti permetti! Ridammela SUBITO!»

Dennis non lo aveva mai visto così furibondo. Incerto, gli restituì la foto.

«Ne hai altre?»

«No, papà. Era l'unica, giuro».

«Non so più che pensare. Vestirti da femmina! Di sicuro dev'essere tutta colpa di tua madre. È sempre stata troppo tenera con te».

Dennis non aprì bocca. Non c'era altro da dire. Continuò a guardare fisso davanti a sé. Poi sentì sbattere la porta. Passò un'ora, o forse un giorno, un mese, un anno? Non lo sapeva. Il presente era un luogo dove non voleva stare, e non riusciva a vedere un futuro.

La sua vita era finita... e pensare che aveva appena dodici anni.

Il campanello suonò, e pochi istanti dopo Dennis sentì la voce di Darvesh a pianterreno. Seguita da quella del papà.

«Mi dispiace, Darvesh. Non ha il permesso di uscire».

«Ma signor Sims, devo assolutamente vederlo».

«Mi dispiace, ma non è possibile. Non oggi. E se vedi quella sciocca d'una ragazza, quella Lisa che a sentire John ha messo in testa a mio figlio l'idea di mascherarsi da femmina, dille che non si faccia più vedere da queste parti».

«Almeno può dire a Dennis che sono sempre suo amico? Qualunque cosa sia successa. È sempre mio amico. Può dirglielo?»

«Al momento non parlo con lui, Darvesh. E ora faresti meglio ad andare».

Appena sentì chiudere la porta, Dennis andò alla finestra. Vide Darvesh percorrere lentamente il vialetto, il *patka* umido di pioggia. Poi l'amico si voltò, alzò lo sguardo e, quando lo vide dietro i vetri, gli rivolse un sorriso mesto e un cenno rapido con la mano. Dennis ricambiò. Poi Darvesh si voltò e se ne andò.

Dennis passò la giornata chiuso in camera, alla larga dal padre.

Sul calare della sera, sentì un picchiettio sommesso contro la finestra. C'era Lisa, al di là del vetro, arrampicata su una scala a pioli.

«E *tu* che vuoi?» chiese Dennis.

«Dovevo parlarti» rispose lei, sforzandosi di tenere la voce più bassa possibile

«Non ho il permesso di parlare con te».

«Fammi entrare un momento, ti prego».

Dennis aprì la finestra e Lisa sgusciò dentro mentre lui tornava a sedersi sul letto.

«Mi dispiace, Dennis. Davvero. Pensavo che fosse divertente e basta. Non avrei mai pensato che sarebbe finita così». Gli mise una mano sulla spalla e gli accarezzò i capelli. Nessuno glieli accarezzava da anni. La sua mamma era solita farlo ogni sera quando gli rincalzava le coperte. Chissà perché, gli fece venire voglia di piangere.

«Non è sciocco?» continuò Lisa. «Perché le ragazze possono mettersi la gonna e i ragazzi no? È assurdo!»

«Lascia perdere...»

«Ma... *espellerti*? Non è giusto! Non hanno espulso neanche Karl Bates quando ha mostrato il sedere all'ispettore scolastico!»

«E non potrò giocare la finale».

«Lo so, mi dispiace tantissimo. Mai avrei voluto che succedesse una cosa del genere. È folle. Costringerò Hawtrey a riammetterti a scuola».

«Lisa...»

«Sul serio. Ancora non so come, ma ti prometto che ci riuscirò».

Lisa lo abbracciò e gli schioccò un bacio lieve, brevissimo, vicino alle labbra. Un bacio stupendo. Come poteva essere altrimenti? In fin dei conti, aveva le labbra a forma di bacio. «Te lo prometto, Dennis».

Con o senza gonna

A Dennis fu consentito di uscire di casa solo quando arrivò il fine settimana. Il papà gli aveva messo il computer sotto chiave e proibito di guardare la tivù, perciò si era perso parecchie puntate di *Trisha*.

Finalmente, sabato mattina, il padre si addolcì un minimo e gli diede il permesso di uscire.

Dennis era ansioso di andare da Darvesh e augurargli buona fortuna per la finale del torneo, ma strada facendo passò da Raj per comprare qualcosa da mangiare. Purtroppo, dato che la sua paghetta era stata sospesa a tempo indefinito, aveva soltanto 13 pence. Raj lo accolse con un saluto non meno caloroso del solito.

«Ah, il mio cliente preferito!» esclamò.

«Ciao, Raj!» rispose Dennis a voce bassa. «Hai qualcosa per 13 pence?»

«Mmm, fammi pensare... metà tavoletta di Ciocorì?»

Per la prima volta da una settimana, Dennis sorrise.

«È bello vederti sorridere di nuovo... Lisa mi ha raccontato cos'è successo a scuola. Mi dispiace moltissimo».

«Grazie, Raj».

«C'ero cascato in pieno! Eri proprio carina, Denise! Ah ah! Però che esagerazione... espellerti soltanto perché hai messo una gonna! Assurdo! Non hai fatto niente di male, Dennis. Non devi sentirti come se avessi fatto chissà che cosa terribile».

«Grazie, Raj».

«Ma ora prego, serviti pure, è tutto gratis...»

«Oh, grazie!» gli occhi di Dennis s'illuminarono.

«... per un valore di 22 pence».

Stare a guardare Darvesh preparare divisa e scarpe per la finale fu più duro di quanto Dennis avesse previsto. Non poter giocare quell'ultima partita era la cosa peggiore.

«È spaventoso che oggi tu non possa giocare» disse Darvesh, annusando i calzini per controllarne lo stato di pulizia. «Sei il nostro attaccante di punta».

«Ve la caverete anche senza di me» lo incoraggiò Dennis.

«Senza di te non abbiamo la minima possibilità, lo sai. Hawtrey è stato una carogna a espellerti».

«Ormai è fatta. Non c'è rimedio...»

«Dev'esserci qualcosa da fare! È così ingiusto. In fin dei conti era solo come se ti fossi messo in maschera. A me non importa, sai. Con o senza la gonna, sei comunque il mio migliore amico».

Le sue parole commossero profondamente Dennis. Avrebbe voluto abbracciare Darvesh, ma abbracciarsi non è una cosa che si fa tra ragazzi di dodici anni.

«Certo che quei tacchi alti dovevano essere scomodi!» disse Darvesh.

«Terribili!» replicò Dennis ridendo.

«Ecco la tua merendina pre-partita!» annunciò la mamma di Darvesh entrando nella stanza con un vassoio stracarico.

«Cos'è tutta questa roba?» chiese Darvesh.

«Ti ho preparato un po' di *masala*, un tantino di riso, *dahl*, *chapati*, *samosa*, e una bella torta gelato...»

«Non posso mangiare tutta questa roba, mamma! La partita è fra un'ora! Finirò per vomitare!»

«Devi fare provvista di energia, pulcino mio! Vero, Dennis?»

«Be'...» Dennis esitò. «Immagino di sì...»

«Bravo, diglielo tu perché a me non dà ascolto! Sai... mi dispiace davvero che oggi tu non possa giocare».

«Grazie... è stata una settimana orribile».

«Povero piccino, espulso solo perché non indossavi l'uniforme della scuola! Però Darvesh non mi ha spiegato esattamente *cos'è* che indossavi...»

«Lascia perdere, mamma...» intervenne il figlio, tentando di spingerla fuori dalla stanza.

«No, va bene» lo bloccò Dennis. «Non m'importa che lo sappia anche lei».

«Sappia che cosa?» chiese la mamma di Darvesh.

«Ecco...» Dennis esitò e poi riprese in tono serio. «Sono andato a scuola indossando un vestito arancione coperto di lustrini».

Seguì un breve silenzio.

«Oh, Dennis» disse infine la mamma di Darvesh. «È spaventoso!»

Dennis impallidì.

«Insomma... l'arancione non è *assolutamente* il colore adatto a te! Con quei capelli chiari staresti molto meglio con colori pastello, tipo rosa o celeste».

«Oh... grazie».

«Figurati. Se in futuro ti servisse qualche consiglio

di stile, chiedi pure a me. Ora da bravo, Darvesh, mangia tutto mentre io vado a tirare fuori l'auto» aggiunse, e uscì dalla stanza.

«La tua mamma è una forza» disse Dennis. «La adoro!»

«La adoro anch'io, però è fuori di testa!» replicò Darvesh ridendo. «Allora... vieni a vedere la partita? Ci saranno tutti».

«Non saprei...»

«Lo so che magari ti sentirai un po' strano, ma vieni lo stesso. Non sarebbe lo stesso senza di te. *Devi* esserci, Dennis, fosse solo per fare il tifo. Per piacere».

«Forse non è il caso...»

«Per piacere».

Maudlin Street

Dennis si sentì stringere lo stomaco quando l'arbitro fischiò l'inizio della partita. Studenti, genitori, insegnanti... tutti si accalcavano emozionati attorno al campo. La mamma di Darvesh sembrava sul punto di esplodere per l'eccitazione. Si era fatta strada a gomitate in prima fila e continuava a gridare: «Avanti, via col pallone!», pregustando gioiosamente la partita.

Accanto a lei, il preside era appollaiato su uno strano congegno: una via di mezzo fra un bastone da passeggio e uno sgabello. Il fatto che fosse l'unico spettatore seduto, sia pure su un aggeggio dall'aria terribilmente scomoda, lo faceva sembrare molto importante. Dennis si affrettò a tirare su il cappuccio della felpa per evitare che Hawtrey lo riconoscesse.

Anche se ormai non andava più a scuola, il preside continuava ad atterrirlo.

Dopo un momento, Dennis individuò tra la folla Lisa, insieme a Mac. «Che ci fai qui?» le chiese stupito. «Non sapevo che ti piacesse il calcio».

«In fin dei conti questa è la finale» rispose tranquilla Lisa. «Sono venuta a fare il tifo come tutti gli altri».

«Sai, Dennis, sono un po' imbarazzato per averti chiesto di uscire...» intervenne Mac in tono incerto

«Non preoccuparti» lo rassicurò Dennis. «In un certo senso ne sono stato lusingato».

«Eri carino come ragazza sai...» commentò Mac.

Lisa scoppiò a ridere.

«Più di Lisa?» scherzò Dennis.

«Ehi, bada a quello che dici!» lo rimproverò allegramente la ragazza.

Con la coda dell'occhio Dennis vide la professoressa Windsor prendere posto tra la folla ai bordi del campo.

«Hai chiesto scusa alla Windsor?» gli chiese Lisa col tono di chi conosce già la risposta.

«Veramente no... ma lo farò, Lisa, davvero».

«Dennis!» disse brusca Lisa.

«Giuro...»

«L'hai davvero sconvolta» aggiunse Mac, mentre riusciva chissà come a infilarsi in bocca un'intera stecca di torrone. «Ieri l'ho incontrata da Raj e si è messa a piangere alla vista di una bottiglia di Orangina».

«Va bene, d'accordo, le chiederò scusa, però non adesso, chiaro? Non in presenza di Hawtrey...» replicò Dennis nascondendosi dietro l'ampia mole di Mac e concentrandosi sulla partita.

Giocavano contro la Maudlin Street, la stessa squadra che negli ultimi tre anni aveva sollevato trionfante il trofeo. Era una squadra famosa per il gioco duro, e in effetti i suoi componenti ci andavano giù pesante, sgomitando e placcando con violenza gli avversari; una volta uno di loro aveva addirittura tirato una ditata in un occhio all'arbitro. La scuola di Dennis, o meglio la sua ex scuola, non era mai neanche arrivata in finale e dalla squadra gli spettatori si aspettavano al massimo un'eroica difesa. Soprattutto perché il loro migliore giocatore era stato espulso...

Come previsto, la Maudlin iniziò alla grande e segnò nei primi minuti di gioco. Prima che segnasse per la seconda volta, uno dei loro giocatori fu ammonito perché aveva storcignato il braccio a uno dei difensori avversari.

Dopodiché la Maudlin segnò per la terza volta.

Darvesh corse da Gareth. «Senza Dennis non abbiamo la minima possibilità. Abbiamo bisogno di lui!»

«È stato espulso, Darvesh, ricordi? E ora muoviti... possiamo vincere lo stesso».

«No che non possiamo, e tu lo sai!»

Gareth partì all'inseguimento del pallone. Un altro gol per Maudlin Street.

4-0.

La partita si stava trasformando in un massacro.

Seguì una breve pausa mentre la mamma di Darvesh e la professoressa Windsor portavano fuori campo in barella un giocatore della loro squadra. Il centravanti della Maudlin gli era "casualmente" zompato su una gamba.

«Ti prego, Gareth!» gridò Darvesh. «Fa' qualcosa!»

Gareth sospirò e andò da Hawtrey.

«Che vuoi, ragazzo? Questa è una catastrofe! State ricoprendo di vergogna l'intera scuola!» ringhiò il preside.

«Mi dispiace, signore, ma il fatto è che lei ha espulso il nostro giocatore più in gamba. Senza Dennis non abbiamo scampo».

«Quel ragazzo non giocherà».

La faccia di Gareth sembrò afflosciarsi. «Ma signore, abbiamo *bisogno* di lui».

«Non permetterò che quel degenerato in gonna rappresenti la scuola».

«La prego...»

«Torna a giocare, ragazzo» tagliò corto Hawtrey, e lo congedò con un brusco cenno.

Gareth tornò di corsa in campo. Pochi secondi dopo era disteso sull'erba umida e si contorceva di dolore perché un attaccante della Maudlin gli aveva sparato il pallone contro le parti basse. Dopodiché l'attaccante si impossessò di nuovo della palla e la infilò dritta in rete.

5-0.

«Dia retta a me, signor Hawtrey, dovrebbe proprio permettere a Dennis di giocare» disse ansiosa la mamma di Darvesh.

«Le sarò grato se vorrà farsi gli affari suoi, signora» latrò in risposta il preside.

«Vieni, Mac» ordinò Lisa all'amico. «Devi darmi una mano».

«Dove andate?» chiese Dennis.

«Vedrai...» Senza aggiungere altro, Lisa gli fece l'occhiolino e si allontanò a passo deciso, tallonata da Mac.

In quell'istante, i tifosi della Maudlin lanciarono l'ennesimo ululato di trionfo. Un altro gol.

6-0.

Dennis chiuse gli occhi. Non riusciva neanche più a guardare.

Migliaia di sorrisi

«Dove si sono cacciati?» sbraitò il signor Hawtrey senza rivolgersi a nessuno in particolare.

Stava per iniziare il secondo tempo e i giocatori della Maudlin erano già in campo, ansiosi di concludere la loro opera di demolizione. Ma la squadra della scuola ancora non si vedeva. Che se la fossero data a gambe?

All'improvviso, Lisa emerse dallo spogliatoio e ne tenne spalancata la porta.

Prima ne uscì di corsa Gareth, avvolto in un lungo vestito di lamé dorato...

Poi Darvesh, in un abitino a pallini gialli...

Tallonato dai due difensori in abito rosso da cocktail...

Gli altri li seguirono, indossando in pratica l'intero guardaroba di Lisa. Per ultimo uscì Dennis, agghindato in un abito rosa da damigella d'onore.

Dalla folla si levò un'acclamazione. Dennis guardò
Lisa e le sorrise.

«Stendili, ragazzo!» disse lei.

Mentre i giocatori entravano in campo, Hawtrey
urlò a Gareth:

«CHE PENSI DI FARE, RAGAZZO?»

«Ha espulso Dennis per avere messo la gonna, ma non può espellerci tutti, signore!» gli gridò di rimando Gareth trionfante.

I giocatori si misero in riga con aria di sfida dietro il loro capitano, assumendo pose degne di ballerini in un video di Madonna. La folla impazzì.

«DEGENERATI!» ululò Hawtrey, e si allontanò rabbioso brandendo il suo bastone-sgabello.

Gareth sorrise a Dennis.

«Avanti, ragazzi!» esortò i compagni. «Facciamogliela vedere!»

A dir poco perplesso, l'arbitro soffiò nel fischietto prima che gli cascasse di bocca. Nel giro di pochi secondi, Dennis aveva già segnato un gol. La Maudlin era sbigottita.

Il punteggio era ancora 6-1, però adesso Dennis e i suoi amici erano passati all'attacco.

«Iauuuu!» gridò Darvesh, tirandosi su la gonna e dribblando un difensore.

Ridendo, Dennis segnò un altro gol. Era pronto per una tripletta ed era cento volte più felice di quanto fosse mai stato. Stava facendo le due cose che più gli piacevano: giocare a calcio e indossare un vestito. Invece fu Darvesh a segnare, di scivolata, spalmando una gigantesca macchia d'erba sul suo vestito mentre spediva il pallone oltre il portiere della Maudlin.

6-3.

«Mio figlio! Ha segnato mio figlio! Il ragazzo con il vestito a pallini gialli!» gridò sua mamma.

L'entusiasmo era alle stelle. Dennis servì a Gareth un perfetto tiro angolato, e Gareth non dovette fare altro che infilare il pallone in rete.

6-4.

Naturalmente, Gareth esultò come se il filmato del suo gol dovesse essere trasmesso per tutta l'eternità alla *Domenica sportiva*: si tirò su la gonna di lamé dorato e fece per tre volte il giro del campo mentre la folla rideva e applaudiva. E poi segnarono un altro gol. E un altro ancora.

6-6.

Mancavano pochi minuti alla fine della partita.

Un ultimo gol e ce l'avrebbero fatta.

Avrebbero vinto.

«Forza, Dennis!» gridò Lisa. «Puoi farcela!»

Dennis la guardò e sorrise. "Sarebbe fantastico se segnassi ora" pensò. "Di fronte a Lisa... la mia futura sposa".

Invece, l'istante successivo cadde a terra contorcendosi dal dolore.

La folla trattenne il fiato.

Benché Dennis non avesse il pallone, un attaccante della Maudlin l'aveva steso centrandogli il polpaccio con una violenta pedata.

Dennis rimase disteso nel fango, stringendosi la gamba e gemendo. L'arbitro non si era accorto di niente.

«È tutta scena, arbitro!» protestò il giocatore della Maudlin. La folla fischiò e protestò.

Dennis si sforzò di non piangere. Aprì gli occhi e le immagini sembrarono fluttuare davanti a lui.

Steso a terra, la guancia premuta contro l'erba, alzò lo sguardo verso gli spettatori e, attraverso un velo di lacrime, distinse un giaccone a scacchi rossi stranamente familiare...

Poi il giaccone a scacchi rossi diventò un uomo...

E l'uomo urlò con una voce profonda ancor più familiare:

«EHI! CHE SUCCEDE QUI?»

Papà.

Dennis lo fissò incredulo. Mai prima d'allora suo padre era venuto a una partita della scuola, e ora Dennis era lì, a terra, con le lacrime agli occhi e la gonna. Poco ma sicuro, era nei guai fino al collo...

Ma il padre lo guardò e sorrise.

«EHI! ARBITRO!» sbraitò. «Quel tipo ha tirato un calcio a mio figlio!»

Sentendosi avvolgere da un'ondata tiepida nonostante il dolore al polpaccio, Dennis si rialzò. Si raddrizzò. E sorrise al padre.

«Tutto bene?» gli chiese Darvesh.

«Sì».

«CORAGGIO, FIGLIOLO!» urlò il papà a tutto volume. «PUOI FARCELA!»

«Gli ho telefonato durante l'intervallo» disse Darvesh. «Mi è tornato in mente quando avevi detto che il tuo papà non ti aveva mai visto giocare, e ho pensato che non avresti voluto si perdesse questa partita».

«Grazie» disse Dennis. A volte pensava che Darvesh non potesse più stupirlo, e puntualmente lui dimostrava di essere un amico perfino migliore di quanto già fosse.

Gareth soffiò il pallone a un giocatore della Maudlin e lo passò a Darvesh, che si era portato all'esterno. La squadra avversaria al completo partì all'attacco di Darvesh, che ripassò il pallone a Gareth. Per un momento Gareth esitò, preso dal panico, e poi lo passò a Dennis, che si fece strada zigzagando fra i difensori e lo fece volare sopra la testa del portiere, in rete.

Un tiro impossibile da parare.

6-7!

L'arbitrò soffiò nel fischietto. La partita era finita.

«Sssssssìììììììììììììì!» urlò la folla. «È IL MIOOOOOO RAGAZZOOOOOO!!!» urlò il papà di Dennis.

Dennis lo guardò e sorrise.

Per un momento gli sembrò di riconoscere John

in mezzo alla folla, ma non era sicuro perché l'eccitazione faceva apparire tutto sfocato. Gareth fu il primo ad abbracciarlo. Darvesh lo seguì a ruota. Nel giro di pochi secondi tutti si abbracciavano elettrizzati, festeggiando la vittoria. Mai prima d'allora la loro scuola era arrivata in semifinale... e ora avevano addirittura vinto il torneo!

Incapace di contenere l'entusiasmo, il padre di Dennis corse in campo, sollevò il figlio fra le braccia e se lo issò sulle spalle.

«È mio figlio, questo! Mio figlio!» urlò, gonfio d'orgoglio.

Di nuovo la folla esplose in acclamazioni. Dennis sorrise un migliaio di sorrisi. Dalle spalle del padre guardò Gareth, Darvesh e tutti gli altri giocatori con la gonna.

"C'è solo un problema" pensò. "Ora non mi sento più diverso".

Però tenne quel pensiero per sé.

Nel fango

La squadra della Maudlin e i loro tifosi se ne andarono con la coda fra le gambe, brontolando cose tipo "imbrogli", "rivincita" e "branco di femminucce!".

Gareth consegnò la scintillante coppa argentea a Darvesh, che la sollevò.

La folla applaudì.

«Mio figlio! Mio figlio il calciatore! E il giallo ti dona tantissimo!» gridò sua mamma. Darvesh la guardò e sollevò di nuovo la coppa.

«Per te, mamma» disse.

Soffocata dalla gioia, la donna tirò fuori il fazzoletto e si asciugò le lacrime. Poi Darvesh passò la coppa a Dennis. E in quel momento riapparve Hawtrey.

«TU NO, RAGAZZO!»

«Ma signore...?» provò a obiettare Dennis.

«Sei stato espulso, tu!»

La folla fischiò e rumoreggiò. Mac si tolse un cioc-colatino di bocca per unirsi alle proteste. Perfino la professoressa Windsor si concesse un "buuu" in per-fetto stile rivoluzionario francese.

«SILENZIO!»

Calò il silenzio. Hawtrey riusciva a incutere paura perfino ai grandi.

«Ma io pensavo...» balbettò Dennis.

«Qualunque cosa tu pensassi, ragazzo, era sbagliata» ringhiò Hawtrey. «Ora vattene da qui prima che chiami la polizia».

«Ma signore...»

«VIA!»

Il papà di Dennis si fece avanti deciso.

«Senti un po', gran pezzo d'imbecille...» latrò. Hawtrey fu preso alla sprovvista: era la prima volta che qualcuno osava parlargli così. «Il mio ragazzo ha appena fatto vincere la coppa alla tua scuola».

«Anche il mio Darvesh ha contribuito!» si affrettò ad aggiungere la mamma di Darvesh.

«Però Dennis è stato espulso» disse Hawtrey con un sorrisetto disgustosamente compiaciuto.

«La sai una cosa? Avrei una mezza idea d'infilarti quella coppa da qualche parte!» disse il papà.

«Ohi ohi, è perfino più imbarazzante di me» mormorò la mamma di Darvesh.

«Senta, signor...»

«Sims. E lui è Dennis Sims. Mio figlio, Dennis Sims. Ricorda questo nome. Un giorno diventerà un calciatore famoso. Prendi nota. E io sono suo padre, e non potrei essere più fiero di lui. Vieni figliolo, andiamocene a casa». Il papà prese Dennis per mano e lo trascinò via.

Incurante del vestito che strisciava nel fango, Dennis sciaguattò nelle pozzanghere tenendo stretta la mano del padre.

Gonna e camicetta

«Mi dispiace che si sia sporcato di fango» disse Dennis restituendo a Lisa il vestito da damigella. Era passata qualche ora dalla fine della partita ed erano seduti sul pavimento in camera di Lisa.

«Mi dispiace, Dennis. Ci ho provato...» disse Lisa.

«Sei stata fantastica, Lisa. Grazie a te sono riuscito a giocare la finale. È questo l'importante. Ora non devo fare altro che trovare una scuola disposta ad accettare... un ragazzo con la gonna».

«La Maudlin, magari?» suggerì Lisa con un sorriso.

Dennis scoppiò a ridere. Per un po' rimasero seduti in silenzio. «Mi mancherai» disse infine Dennis.

«Anche tu. Possiamo comunque vederci durante i fine settimana, giusto?»

«Sicuro. Grazie di tutto, Lisa».

«Grazie per cosa? Ti ho fatto espellere!»

Dennis esitò.

«Grazie per avermi aperto gli occhi».

Lisa abbassò timidamente lo sguardo. Dennis non l'aveva mai vista così incerta.

«Grazie a te, Dennis. È la cosa più carina che chiunque mi abbia mai detto».

Dennis sorrise, sentendosi sempre più sicuro di sé.

«C'è un'altra cosa che devo dirti, Lisa. Una cosa che volevo dirti da un sacco di tempo».

«Sì?»

«Sono totalmente, follemente...»

«Totalmente follemente cosa?»

Ma Dennis non riuscì a proseguire. A volte è difficile trovare le parole giuste per dire quello che provi.

«Te lo dirò quando sarò più grande».

«Promesso?»

«Promesso».

Personalmente, mi auguro di cuore che lo faccia. Tutti noi conosciamo qualcuno la cui vicinanza basta a farci schizzare il cuore verso il cielo.

A volte, però, perfino da grandi, è difficile esprimere i propri sentimenti.

Lisa passò una mano fra i capelli di Dennis, e lui chiuse gli occhi per assaporare meglio quella sensazione.

Tornando a casa, Dennis passò davanti al negozio di Raj. Non aveva intenzione di fermarsi, ma Raj lo vide e uscì dal negozio.

«Hai un'aria triste, Dennis! Entra, entra! Che problema c'è, giovanotto?»

Quando Dennis gli raccontò cos'era successo dopo la partita, Raj scosse incredulo la testa.

«Sai qual è la vera ironia?» proclamò. «Gli stessi che sono così pronti a giudicare, siano insegnanti o politici o capi religiosi o quant'altro, spesso si comportano in modo ben peggiore!»

«Sarà...» mormorò Dennis soprappensiero.

«Niente "sarà". È proprio così. Il tuo preside, per esempio... come si chiama?»

«Hawtrey».

«Giusto. Hawtrey. Potrei giurare che in lui c'è qualcosa di strano».

«Di strano?» chiese Dennis incuriosito.

«Non ne sono sicuro, ma il fatto è che veniva qui ogni domenica mattina alle sette in punto per comprare il "Telegraph". Ogni settimana alla stessa ora, preciso spaccato. Finché, a un certo punto, lui ha smesso di venire e ha cominciato a venire sua sorella. Cioè: lui *ha detto* che è sua sorella».

«Come sarebbe?»

«Ecco, non ci metterei la mano sul fuoco, ma quella donna ha un che di strano».

«Davvero? Cioè?»

«Vieni domani mattina alle sette in punto e lo vedrai da te». Raj si batté un dito sul naso. «Allora... vuoi l'altra metà di quel Ciocorì? Non sono ancora riuscito a sbarazzarmene».

«È prestissimo, per essere domenica» protestò Lisa. «Sono appena le sette meno un quarto! Di solito a quest'ora sto ancora dormendo».

«Mi dispiace» disse Dennis.

«Così Hawtrey ha una sorella. E con ciò?»

«Be'... a sentire Raj, questa sorella ha un che di strano. Coraggio, dobbiamo sbrigarci se vogliamo essere lì per le sette».

Affrettarono il passo. La strada era avvolta da una foschia fredda e il marciapiede era umido per la pioggia notturna. In giro non c'era ancora nessuno e l'assenza di gente dava alla città un aspetto irreale. Naturalmente Lisa aveva i tacchi alti, Dennis no... per questa volta almeno. L'unico suono era il ticchettio delle scarpe di Lisa.

Di colpo, dalla foschia grigia emerse una donna molto alta, vestita di nero. Entrò nel negozio di Raj. Dennis controllò l'ora.

Le sette in punto.

«Dev'essere lei» bisbigliò Dennis. In punta di piedi si avvicinarono alla vetrina e scrutarono nel negozio. La donna stava comprando una copia del "Sunday Telegraph".

«Va bene: compra un giornale. E con ciò?» insisté Lisa.

«Zitta. Ancora non l'abbiamo vista in faccia».

Raj li scorse al di là del vetro e fece loro l'occhiolino mentre la donna si voltava e usciva dal negozio. Dennis e Lisa si nascosero dietro un bidone della spazzatura e, quando la videro bene, sgranarono gli occhi increduli. Se quella era la sorella di Hawtrey, doveva essere la sua gemella. Aveva addirittura i baffetti!

La figura in nero si guardò attorno per assicurarsi che non ci fosse nessuno e si allontanò in fretta. Dennis e Lisa si scambiarono un'occhiata e un sorriso.

Beccato!

«SIGNOR HAWTREY!» gridò Dennis.

La figura si voltò di scatto e disse con una profonda voce maschile: «Sì?», per poi correggersi all'istante con

una voce molto più acuta e femminile: «Cioè, voglio dire, no!»

Dennis e Lisa si avvicinarono.

«Non sono Hawtrey. No... no... assolutamente no. Sono sua sorella Doris».

«Suvvia, signor Hawtrey» disse Lisa. «Siamo ragazzi, ma non siamo scemi».

«E com'è che ha i baffi?» aggiunse Dennis in tono d'accusa.

«Ho un lievissimo problema pilifero facciale!» fu la risposta stridula. Dennis e Lisa scoppiarono a ridere. «Oh, sei tu. Il ragazzo con la gonna» ringhiò Hawtrey con la sua voce normale, rendendosi conto d'essere stato smascherato.

«Esatto» replicò Dennis. «Il ragazzo che lei ha *espulso* perché si era messo la gonna. E ora scopriamo che la mette anche lei».

«Non è una gonna, ragazzo. È un *tailleur*» ringhiò Hawtrey.

«Carine quelle scarpe signore» rincarò Lisa.

Hawtrey strabuzzò gli occhi. «Insomma, che volete?» domandò.

«Vogliamo che riammetta Dennis a scuola» replicò Lisa.

«Impossibile. È una mancanza grave non indossare l'uniforme scolastica».

«Mmm... e se venisse fuori che a lei piace andare in giro vestito così?» ribatté Lisa. «Diventerebbe la barzelletta della scuola».

«Cercate forse di ricattarmi?» chiese severo il signor Hawtrey.

«Sì» risposero Lisa e Dennis all'unisono.

«Oh». La prosopopea del preside si sgonfiò di colpo. «In tal caso non ho scelta. Torna a scuola lunedì mattina, ragazzo. In uniforme, sia chiaro. Però dovete giurare che non parlerete mai di questo con nessuno» aggiunse Hawtrey in tono severo.

«Lo giuro» disse Dennis.

Hawtrey guardò Lisa, che rimase in silenzio per un po' con un sorriso più grande di un pianoforte a coda, godendosi la momentanea sensazione di potere.

«E va bene, lo giuro anch'io» disse infine.

«Grazie».

«Oh... ci sarebbe un'altra cosa» disse Dennis.

«Cioè, ragazzo?»

«Ecco... d'ora in poi deve darci il permesso di giocare con un pallone vero durante l'intervallo» proseguì Dennis sicuro. «Non c'è gusto a giocare con una palla da tennis».

«Nient'altro?» ruggì Hawtrey.

«Se ci verrà in mente qualcos'altro, glielo faremo sapere» rispose Lisa.

«Grazie tante» replicò sarcastico Hawtrey. «Sapete, non è sempre facile fare il preside. Urlare contro gli allievi per tutto il tempo, rimproverare, espellere. Ogni tanto ho bisogno di vestirmi così per scaricarmi».

«E perché invece non prova a essere più gentile con tutti?» chiese Lisa.

«Che idea assurda!» sbuffò Hawtrey.

«Allora a lunedì, signorina!» disse Dennis ridendo. «Chiedo scusa, cioè, signore!»

Il preside girò sui tacchi alti e si avviò verso casa più in fretta che poteva. Poco prima di raggiungere l'angolo, si liberò con un calcio delle scarpe, le raccolse e svoltò a tutta velocità.

Dennis e Lisa risero così tanto e così a lungo da svegliare l'intera strada.

Grosse mani pelose

«Com'è che hai messo l'uniforme della scuola?» chiese il papà di Dennis lunedì mattina.

Dennis era seduto in cucina a fare colazione e, per la prima volta da una settimana, indossava l'uniforme della scuola.

«Torno a scuola, papà. Il preside ha cambiato idea e ha revocato l'espulsione».

«Davvero? Come mai? Quel tizio è una carogna fatta e finita».

«È una lunga storia. Probabilmente ha deciso che tutto sommato mettersi la gonna non era una mancanza tanto grave».

«Be', ha ragione. Non lo è affatto. Sono stato davvero fiero di te, durante la partita. Hai avuto fegato».

«Quel ragazzo mi ha tirato un brutto calcio».

«Non mi riferivo a quello. Mi riferivo al fatto di

giocare indossando un vestito. Per *quello* c'è voluto coraggio. A me sarebbe mancato. Sei fantastico, sai. Lo so che per te non è stato facile da quando tua madre se n'è andata. Io sono stato molto infelice, so che a volte me la sono presa con te e con tuo fratello, e mi dispiace».

«Non preoccuparti, papà. Ti voglio bene lo stesso».

Il padre infilò una mano in tasca e tirò fuori la foto che aveva scattato alla sua famiglia sulla spiaggia.

«Non ho avuto il coraggio di gettarla via, figliolo. Però per me è troppo penoso guardarla. Amavo molto la vostra mamma... e l'amo ancora, nonostante tutto. Essere adulti è una faccenda complicata. Questa foto è tua, Dennis. Tienila al sicuro». La mano del papà tremò mentre tendeva al figlio la foto bruciacchiata. Dennis la guardò a lungo e poi la infilò nel taschino della giacca.

«Grazie, papà».

«Tutto bene?» chiese John entrando in cucina. «Allora... oggi torni a scuola?»

«Sì».

«Quell'imbecille d'un preside ha cambiato idea» spiegò il padre.

«Secondo me hai fegato, a tornare» disse John, infilando nel tostapane un paio di fette di pane stantio.

«Qualcuno dei ragazzi più grandi potrebbe prenderti di mira».

Dennis abbassò lo sguardo sul pavimento.

«In tal caso toccherà a te aiutarlo, giusto, John?» disse il papà.

«Sicuro! Se qualcuno proverà a dargli noia, dovrà vedersela con me. Sei mio fratello e ti proteggerò».

«Bravo, John» disse il padre, trattenendo a stento le

175

lacrime. «Ora devo andare. Devo portare a Bradford un carico di carta igienica». Sulla soglia, esitò e tornò a voltarsi. «Sono molto fiero di tutti e due, sapete. Qualunque cosa facciate, sarete sempre i miei figlioli. Siete tutto quello che ho». Non riuscì a guardarli mentre parlava e si allontanò in fretta chiudendosi la porta alle spalle.

Dennis e John si scambiarono un'occhiata. Era come se il ghiaccio di un'era avesse cominciato a sciogliersi e il sole brillasse per la prima volta dopo un milione di anni.

«È un peccato che ti sia perso la finale» disse Dennis mentre si dirigevano verso la scuola.

«Già... È solo che, sai, avevo promesso agli amici di raggiungerli al centro sportivo».

«Strano, però. Per un momento mi è sembrato di vederti tra la folla, ma probabilmente sarà stato qualcuno che ti somigliava».

John tossicchiò. «Ecco... in effetti, in un certo senso *c'ero*...»

«Lo sapevo!» esclamò Dennis. «Perché non ti sei fatto avanti?»

«Avrei voluto, però alla fine non ce l'ho fatta. Tutto quel correre in campo e abbracciarsi... non ce l'ho fatta, ecco. Scusa».

«Sono contento che tu sia venuto, anche se non me l'hai detto. Non c'è bisogno che ti scusi».

«Grazie. Scusa».

Per un po' proseguirono in silenzio.

«Quello che ancora non riesco a capire è perché l'hai fatto» riprese incerto John.

«Fatto che cosa?»

«Vestirti da femmina, tanto per cominciare».

«Veramente non lo so» rispose Dennis in tono perplesso. «Perché era divertente, credo».

«Divertente?»

«Ma sì... ricordi quand'eravamo piccoli e correvamo avanti e indietro in giardino fingendo d'essere Batman o Spiderman o altro?»

«Sì».

«Era così che mi sentivo. Come se fosse tutto un gioco».

«Un tempo piaceva anche a me, giocare» mormorò John, quasi fra sé, mentre si rimettevano in cammino.

«Ma che...?» esclamò John quando entrarono nel negozio all'angolo e si trovarono davanti Raj, radioso, in un sari verde acceso.

E parrucca.

E truccatissimo.

«Buongiorno, ragazzi!» trillò Raj con una ridicola voce in falsetto.

«Buongiorno, Raj» disse Dennis.

«No, no, non sono Raj. Oggi Raj non c'è e ha incaricato me di badare al negozio. Sono sua zia Indira!»

«Raj, lo sappiamo che sei tu» disse John.

«Oh, bah!» sospirò Raj avvilito. «Mi sono svegliato all'alba per travestirmi a dovere. Cos'è che mi ha tradito?»

«La barba» rispose Dennis.

«Il pomo d'adamo» aggiunse John.

«E le grosse mani pelose» rincarò Dennis.

«Va bene, va bene, ho capito!» si affrettò a interromperli Raj. «Speravo di prendermi la rivincita ingannando Dennis... dopo che lui mi aveva imbrogliato così bene!»

«Ci sei andato vicino, Raj» disse gentilmente Dennis. «Sei davvero una donna convincente!» Guardò ammirato il sari. «E quello dove l'hai preso?»

«È di mia moglie. Per fortuna è piuttosto robusta, perciò mi sta». Raj abbassò la voce e si guardò attorno guardingo. «Non sa che me lo sono messo, perciò nel caso vi capitasse d'incontrarla non fatene parola, mi raccomando».

«D'accordo, Raj. Terremo la bocca chiusa» lo rassicurò Dennis.

«Grazie mille. Era buona la dritta a proposito del
preside, eh?» disse Raj strizzando un occhio bordato
di mascara.

«Altroché, grazie Raj» disse Dennis, ricambiando la
strizzata d'occhio.

«Cos'è questa storia riguardo a Hawtrey?» chiese John.

«Niente di che. Gli piace leggere il "Sunday Telegraph" ecco tutto» rispose Dennis.

«Ora sarà meglio andare o faremo tardi a scuola» disse John, tirando il fratello per un braccio. «Prendo solo questo sacchetto di mentine, Raj».

«Se ne compri due, te ne do una gratis» suggerì entusiasta Raj.

«Va bene. Sembra conveniente». John prese un altro sacchetto e lo consegnò al fratello.

Raj prese un sacchetto aperto e ne tirò fuori una singola mentina. «E questa è la tua mentina gratis. Dunque, due sacchetti di mentine... 58 pence, grazie!»

John lo fissò confuso.

«Buona fortuna per oggi, Dennis» gridò Raj mentre i ragazzi uscivano dal negozio. «Penserò a te».

Ancora una cosa da fare

Appena varcò il cancello della scuola, Dennis vide Darvesh che lo aspettava stringendo fra le braccia un pallone da calcio nuovo di zecca.

«Ti va di tirare quattro calci?» chiese Darvesh. «Mamma me l'ha comprato ieri. Ora abbiamo il permesso di giocare nel cortile» aggiunse, facendo rimbalzare trionfante il pallone.

«Ma va'...» disse Dennis. «Chissà come mai Hawtrey ha cambiato idea...»

«Allora, giochiamo?» chiese ansioso Darvesh.

In quel momento Dennis vide la professoressa Windsor parcheggiare la sua Citroën 2CV gialla: più che a un'auto, somigliava a una pattumiera su quattro ruote, però era francese, e la Windsor la adorava.

«Durante l'intervallo, d'accordo?» disse Dennis.

«Va bene! Così potremo fare una partita vera e

propria!» Darvesh si diresse verso l'ingresso della scuola facendo rimbalzare il pallone su un piede.

«Aspettami un momento John, ti dispiace?» disse Dennis. «Ho ancora una cosa da fare». Respirò a fondo e: «Professoressa?» chiamò, mentre il fratello si faceva in disparte.

«Oh, sei tu» disse gelida la Windsor. «Che vuoi?»

«Volevo dirle che mi dispiace terribilmente per quello che le ho detto. Davvero. Non è vero che non ha un bell'accento francese».

La professoressa rimase in silenzio e Dennis si contorse a disagio sotto il suo sguardo, cercando di farsi venire in mente qualcos'altro.

«Ce l'ha, invece» riprese finalmente. «Ha proprio un bell'accento, professoressa. *Mademoiselle*. Sembra una francese vera. Giuro».

«Oh, grazie, Dennis... o *merci beaucoup*, Dennis, come si direbbe in francese» replicò la Windsor, cominciando a sciogliersi. «Sei stato bravo, sabato. Una partita splendida. E... be', eri davvero convincente, con quel vestito».

«Grazie, prof».

«A dire la verità sono proprio contenta di vederti. Il fatto è che ho scritto un dramma teatrale...» proseguì lei.

«Oh...» bofonchiò Dennis.

«Un dramma sulla vita di Giovanna d'Arco, la martire religiosa francese del quindicesimo secolo...»

«Oh, sembra davvero... ehm...»

«E dato che nessuna delle ragazze vuole recitare la parte di Giovanna, ho pensato che sarebbe affascinante affidarla a un ragazzo... in fin dei conti, si trattava di una ragazza che indossava abiti maschili. Così mi è venuto in mente che tu saresti una Giovanna memorabile».

Dennis guardò il fratello in cerca di soccorso, ma John si limitò a sogghignare.

«Oh, ecco, sembra... interessante...»

«Splendido! Vediamoci durante l'intervallo per discuterne davanti a un *pain au chocolat*».

«Va bene, prof» balbettò Dennis sforzandosi di nascondere il suo terrore alla sola idea. Si allontanò lentamente, in silenzio, come ci si potrebbe allontanare da una bomba sul punto di esplodere.

«Dimenticavo... ovviamente il dramma è tutto in francese. *Au revoir!*» gli gridò dietro la professoressa Windsor.

«*Au revoir*» rispose Dennis nell'accento meno francese che riuscì a produrre.

«*Questo* sì che voglio vederlo!» commentò suo fratello ridendo.

Mentre si dirigevano fianco a fianco verso la scuola, John gli mise un braccio attorno alle spalle. Dennis sorrise.

Il mondo sembrava diverso.

Ringraziamenti

Vorrei ringraziare il mio agente letterario alla Indipendent Talent, Paul Stevens; Moira Bellas e tutti al MBCPR; tutta la Harper Collins, in particolare la mia publisher Ann-Janine Murtagh e il mio editor Nick Lake per avere creduto nella mia idea e avermi sostenuto; James Annal, grafico della copertina; Elorine Grant, grafica degli interni; Michelle Misra, correttrice di bozze dall'occhio d'aquila; l'altro lato del mio cervello che è Matt Lucas; mia madre nonché mia maggiore sostenitrice, Kathleen, e mia sorella Julie per avermi aiutato a travestirmi.

Ma più di chiunque altro vorrei ringraziare il grande Quentin Blake, che ha donato a questo libro più di quanto avrei mai osato sognare.

Indice